LE COLLECTIONNEUR D'HORLOGES EXTRAORDINAIRES

Illustration de couverture : Gabriella Giandelli

Titre original : *El Coleccionista de relojes extraordinarios*
Pour l'édition originale publiée en 2004 par Ediciones SM
© Laura Gallego García / Ediciones SM, Espagne, 2004

© Éditions du Seuil, 2005 pour la traduction française
Dépôt légal : mai 2005
ISBN : 2-02-078820-9
N° 78820-1

www.seuil.com

Laura Gallego García

LE COLLECTIONNEUR D'HORLOGES EXTRAORDINAIRES

Traduit de l'espagnol
par Faustina Fiore

OUVRAGE TRADUIT AVEC LE CONCOURS
DU CENTRE NATIONAL DU LIVRE

Seuil

« *L'homme est le seul être dans la nature à avoir conscience qu'il mourra un jour. Mais, bien que sachant que tout a une fin, nous faisons de la vie une lutte digne d'un être éternel.* »

Paulo Coelho, *Le Pèlerin de Compostelle*

PROLOGUE

D'un geste brusque, Lord Clayton s'empara de l'un des deux pistolets. Sans hésiter, Jeremiah prit l'autre, en remarquant au passage qu'il s'agissait d'une arme magnifique, rehaussée d'or et d'argent, à la crosse finement ouvragée. Lord Clayton arma son pistolet ; Jeremiah l'imita. Ils échangèrent un regard.

Il n'y avait aucune expression dans leurs yeux. Ni haine, ni colère, ni défi, ni orgueil. Seulement la profondeur insondable du cosmos.

« Quinze pas », dit le seul témoin du duel qui était en train de prendre place dans cette obscure ruelle londonienne. Il s'agita, inquiet. Il y avait quelque chose chez ces deux hommes qui ne lui inspirait pas confiance.

Les adversaires levèrent leurs armes et se tournèrent le dos. Le témoin se sentit étrangement soulagé lorsqu'ils se quittèrent des yeux.

« Un ! » compta-t-il.

Jeremiah avança d'un pas. Il était à seulement quatorze pas du moment décisif, et pourtant son esprit s'obstinait à remonter le temps, lui rappelant ce qui s'était passé dans la salle de vente quelques heures plus tôt. Tout en continuant à obéir mécaniquement aux indications du témoin, il revit comment s'était déroulée l'enchère pour l'objet le plus extraordinaire que l'on ait jamais vu dans un tel endroit.

« Deux ! »

Lorsque Jeremiah était entré dans la salle, un tableau de Botticelli venait d'être mis en vente. Sans attirer l'attention, il était allé rejoindre une personne qui l'attendait, une jeune femme rousse à l'expression préoccupée qui se tenait au fond de la salle. Elle lui avait désigné d'un geste le premier rang, celui où Lord Clayton était installé. Puis elle était sortie, laissant l'affaire entre les mains de Jeremiah. Soulagé d'être arrivé à temps, le jeune homme s'était préparé à la lutte. Même à distance, il pouvait sentir l'impatience de Lord Clayton, et il savait ce qui se passerait s'il s'interposait entre cet homme et la seule chose qu'il désirait au monde. Mais il n'avait pas le choix.

« Trois ! »

L'objet avait enfin été déposé sur la nappe de velours qui recouvrait la table. Lord Clayton avait dû faire un effort visible pour se retenir de sauter dessus.

C'était une horloge.

L'horloge légendaire de Mme Deveraux, une courtisane qui avait vécu à Paris au XVIIe siècle et avait reçu ce luxueux présent des mains du roi de France en personne. Cette horloge de table en or savamment travaillée était un véritable bijou. De petits chérubins soutenant le soleil, la lune et les planètes tournaient doucement, dansant avec lenteur autour du cadran. Les aiguilles étaient en or massif, et le tout était orné de pierres précieuses scintillantes.

« Quatre ! »

De sa place, Jeremiah avait presque pu voir Lord Clayton froncer les sourcils et enfoncer ses ongles dans les accoudoirs de son fauteuil. Pour tous ceux qui étaient réunis dans cette salle, l'horloge Deveraux était un bijou d'une valeur inestimable ; pour deux d'entre eux, c'était un objet porteur d'un fabuleux secret. L'un des deux voulait le découvrir, l'autre l'occulter pour toujours.

« Cinq ! »

Les acheteurs les plus fortunés se disputèrent longuement l'horloge. Lord Clayton demeura muet, tendu, tandis qu'autour de lui on lançait des chiffres de plus en plus élevés. Tout semblait indiquer que cet objet extraordinaire allait tomber entre les mains d'un bourgeois enrichi qui ne l'appréciait même pas, mais qui tenait à prouver son rang. C'est alors que la voix froide de Lord Clayton se fit entendre, défiant les acheteurs potentiels avec une offre bien supérieure à ce que quiconque aurait pu supposer.

Il y eut une vague de murmures dans la salle. Tout le monde connaissait l'immense fortune de Lord Clayton, et savait qu'il pouvait s'offrir tout ce qu'il désirait. Après une courte lutte, son rival baissa la tête et reconnut sa défaite : il ne pouvait pas se permettre de renchérir.

« Six ! »

Le marteau était sur le point de s'abattre et d'adjuger l'horloge Deveraux à l'aristocrate lorsque Jeremiah était intervenu. L'enchère était déjà montée extrêmement haut, mais Jeremiah et les siens avaient prévu cette situation. Des fonds prodigieux avaient été mis à sa disposition pour lui permettre de tirer l'horloge des mains de Lord Clayton.

Lorsque la voix de Jeremiah avait résonné dans la salle, doublant l'offre de l'aristocrate, tout le monde s'était retourné vers lui. Le regard insondable de Lord Clayton, plongeant dans le sien, lui avait fait l'effet d'un coup de poignard. Mais il avait soutenu ce regard sans frémir.

Ce n'était pas la première fois qu'ils se rencontraient.

«Sept!»

Lord Clayton aurait dû se douter que Jeremiah ou quelque autre de ses amis essaieraient de l'empêcher de s'approprier l'horloge. Cela s'était déjà produit plusieurs fois. Mais l'horloge s'était toujours moquée d'eux, disparaissant, réapparaissant, achetée, vendue, offerte, volée par les uns et les autres, sans pourtant jamais tomber entre les mains de quelqu'un connaissant sa véritable valeur.

Elle avait à nouveau surgi, comme un fantôme, dans le catalogue de cette vente aux enchères. Lord Clayton s'y était précipité. Vainement, il avait espéré arriver le premier. Jeremiah essayait une fois de plus de le frustrer de ses espérances.

«Huit!»

Dans les minutes qui avaient suivi, le destin de l'horloge Deveraux était passé de main en main, tandis que les sommes offertes par les deux hommes s'étaient multipliées jusqu'à atteindre des altitudes inimaginables.

Finalement, Lord Clayton avait prononcé un chiffre dépassant toutes les prévisions. Le silence s'était fait dans la salle, et tout le monde s'était tourné vers Jeremiah, attendant sa réaction.

Le jeune homme avait froncé les sourcils et entrouvert les lèvres, mais il était resté muet. Le coup sec du marteau avait attribué la propriété de l'horloge à Lord Clayton.

«Neuf!»

Chacun des deux avait attendu avec impatience la fin de la vente. Lord Clayton espérait disparaître avec sa nouvelle acquisition; Jeremiah désirait l'intercepter à temps. Lord Clayton se doutait de ce qui se préparait, et voulait à tout prix éviter cette rencontre.

Jeremiah avait été suffisamment rapide et avait arrêté son adversaire dans le vestibule. «Il me faut cette horloge», avait-il annoncé. «Je te lance un défi.» Autour de Lord Clayton, des murmures scandalisés s'étaient élevés : tous avaient reconnu le jeune homme qui avait disputé l'horloge au gentilhomme et s'accordaient à trouver sa conduite tout à fait inappropriée.

«Dix!»

Lord Clayton avait pâli. «Tu connais les règles, avait ajouté Jeremiah. Tu ne peux pas refuser de m'affronter.»

Personne n'avait compris ces paroles, mais elles devaient avoir un sens pour Lord Clayton, car ce dernier avait acquiescé, rageusement.

Jeremiah avait senti que quelqu'un lui touchait le bras. À ses côtés se tenait la jeune femme rousse, avec un regard qui n'appartenait qu'à elle. «Fais bien attention», avait-elle dit.

«Onze!»

Elle savait que Jeremiah avait pris une décision extrême.

Les règles du Défi n'établissaient aucune forme ; les adversaires avaient le choix des armes, du lieu, du moment. Seule la conséquence de la rencontre était prédéterminée. Quel que soit le vainqueur, il ne connaîtrait plus un seul instant de paix.

« Douze ! »

Mais puisque Jeremiah avait choisi d'opter pour cette solution, il ne restait à Lord Clayton qu'à s'incliner. Tous deux étaient conscients que ce qui était en jeu n'était pas simplement une horloge, ni même leurs vies ou leurs âmes.

Savoir lequel des deux avait offert le plus d'argent à la vente aux enchères n'avait pas la moindre importance. Chacun avait à sa portée des moyens bien moins conventionnels d'atteindre ses objectifs. Malgré tout, ils tâchaient toujours de les mettre en œuvre avec la plus grande discrétion. Afin de passer inaperçus, ils devaient se comporter le plus naturellement possible. Voilà pourquoi ils avaient participé à cette vente aux enchères. Même s'il fallait bien reconnaître que Lord Clayton était trop étrange pour ne pas attirer l'attention où qu'il soit.

« Treize ! »

Lord Clayton avait choisi un duel au pistolet. Contrairement à la tradition, le lieu du duel avait été tenu secret et aucun second n'avait été convoqué. Il n'y aurait là qu'un unique témoin, un homme qui ne connaissait aucun des deux adversaires et dont on espérait qu'il serait impartial.

« Quatorze ! »

Jeremiah revint à la réalité. Ses doigts se crispèrent autour du pistolet jusqu'à faire blanchir ses jointures. Il respira profondément. Il lui fallait garder la tête froide. Il ne disposerait peut-être que de quelques instants après la détonation, quelques précieuses minutes dont il devait absolument profiter. Il pouvait sentir dans son dos, à près de trente pas de là, la tension de Lord Clayton.

La voix du témoin résonna autour d'eux :

« Quinze ! »

Jeremiah fit demi-tour et tira.

Le coup tiré par Lord Clayton l'atteignit à l'épaule avec toute la force de sa haine. En proie à une violente douleur, il recula de quelques pas. Son adversaire s'effondra, les yeux grands ouverts ; une tache pourpre fleurissait au milieu de sa poitrine.

Le témoin se signa. Près de lui, reposant sur un tissu posé à même le sol, l'horloge Deveraux brillait mystérieusement.

Ignorant la douleur qui irradiait en lui, Jeremiah courut vers l'objet, l'enveloppa dans l'étoffe et s'en saisit des deux mains.

« Attendez, jeune homme ! » s'exclama le témoin en essayant de le retenir. « Vous êtes blessé ! »

Jeremiah ne l'écouta pas. Horloge en main, il écarta l'homme de son chemin et s'élança dans une ruelle obscure.

« Hé ! Ho ! »

Il ne prêta aucune attention aux cris du témoin. Il savait que le temps lui était compté. Il courait à toute allure en direction de la Tamise, comprimant l'horloge Deveraux contre sa poitrine. Il ne ralentit pas lorsque, au fond d'une rue, il distingua les mâts d'un bateau, ni lorsqu'une bouffée d'air humide le frappa au visage. Il ne cessa de courir qu'en se trouvant sain et sauf à bord du *Victoria*, le navire qui devait l'emmener vers des terres lointaines, et ne recouvra une certaine tranquillité que lorsque les grands immeubles de Londres ne lui apparurent plus que sous la forme d'ombres défigurées par le brouillard qui s'élevait du fleuve.

Alors, et alors seulement, il entrouvrit sa chemise pour examiner sa blessure. Il poussa un long soupir en s'apercevant qu'elle était totalement guérie. Quelques traces de sang séché maculaient à peine une peau parfaitement lisse, sans que la moindre cicatrice ne révèle l'endroit où la balle de Lord Clayton l'avait touché.

Loin de là, dans la ruelle, le témoin avait pieusement fermé les yeux du mort. Malgré le peu de confiance que lui avait inspiré Lord Clayton, il fit un second signe de croix, puis se décida à recouvrir le cadavre d'un manteau. Il s'apprêtait à draper l'étoffe autour du visage lorsque Lord Clayton ouvrit les yeux et le regarda.

Le témoin bondit en arrière, muet de terreur.

Lord Clayton se palpa la poitrine et constata que sa blessure avait guéri aussi rapidement que miraculeusement. Sans s'en étonner, et sans prêter attention au témoin horrifié qui s'était plaqué contre le mur, il chercha des yeux Jeremiah et l'horloge Deveraux.

Il ne vit ni l'un ni l'autre.

Le hurlement de haine et de frustration du ressuscité s'éleva au-dessus des toits de Londres et se perdit dans le ciel nuageux.

CHAPITRE 1

En cet après-midi torride, trois personnes se tenaient devant un édifice ancien qui se trouvait à la périphérie d'une charmante petite ville espagnole. À cinq heures passées, la canicule était telle que les habitants de la Cité Antique n'auraient consenti pour rien au monde à quitter l'ombre rafraîchissante de leur demeure pour s'aventurer sous le soleil de plomb. Mais, de toute évidence, les trois visiteurs avaient une volonté suffisamment forte pour braver ces considérations pratiques.

L'homme était fort et bronzé. Il était vêtu d'une chemise à moitié rentrée dans son short, de chaussettes blanches et de sandales. Une casquette au nom de son équipe de base-ball préférée était posée de travers sur ses cheveux blonds. Un appareil photo ultramoderne complétait son attirail.

La femme mince qui se tenait à ses côtés s'éventait pour mieux supporter la chaleur. Elle portait une tenue moulante aux couleurs criardes, et se protégeait avec d'énormes lunettes de soleil et un grand chapeau blanc. Ses longs cheveux frisés descendaient sur ses épaules. Elle se cramponnait à son sac à main comme si elle craignait que quelqu'un ne tente de le lui arracher d'un moment à l'autre.

Le garçon d'une quinzaine d'années qui accompagnait le couple aurait pu passer plus facilement inaperçu. Il portait un jean, un T-shirt blanc et des lunettes qu'il était sans cesse obligé d'essuyer car sa transpiration les couvrait de buée. Un sac pendait à son épaule. Il était aussi blond que son père, mais bien plus élancé.

L'homme, sourcils froncés, examinait une brochure touristique.

«Je ne comprends pas», grogna-t-il au bout d'un moment, dans un anglais à l'accent texan très marqué. «C'est écrit noir sur blanc : "Musée des horloges. Gratuit. Ouvert tous les jours, de 10 h à 14 h et de 17 h à 19 h." Alors pourquoi est-ce que cette porte est fermée?

– Billy, mon chéri, se lamenta la femme, il fait horriblement chaud. On ne va pas rester plantés ici tout l'après-midi.»

L'homme marmonna quelque chose, et se décida à lever le heurtoir pour le laisser retomber contre la porte. Le coup eut plus de force qu'ils ne s'y attendaient, et son écho teinté de solitude et d'abandon résonna longuement à l'intérieur.

Ils patientèrent. Le garçon examinait le musée avec intérêt. Le bâtiment en pierre de taille était visiblement très ancien. Devant eux se trouvait une porte gigantesque, en bois orné de métal, portant les marques du temps. Au-dessus était gravé un écusson en mauvais état.

«Un véritable palais», commenta-t-il à mi-voix.

L'homme jeta un rapide coup d'œil et grogna dédaigneusement.

« Bah ! Ne dis pas de bêtises, Jonathan. Qui pourrait avoir envie de vivre dans une vieillerie pareille ? »

Il secoua la tête, comme pour chasser cette idée par trop absurde, tandis que son épouse contemplait l'édifice d'un air horrifié, imaginant à quel point il serait épouvantablement inconfortable d'habiter là.

Jonathan soupira, mais ne répondit pas.

« Quel manque de respect, franchement, protesta la femme. Nous sommes venus de si loin…

– Tant pis, laissons tomber le musée, rétorqua rapidement Jonathan. La cathédrale est sûrement ouverte. »

Pour toute réponse, son père donna un nouveau coup contre la porte.

« Hé ! cria-t-il. Il y a quelqu'un ? Ouvrez cette porte ! Nous voulons voir le musée ! »

Silence. Il lâcha le heurtoir, contrarié, et se tourna vers Jonathan.

« Pourquoi est-ce que tu n'essaies pas de leur parler dans leur langue ?

– Laisse tomber, Papa, répondit le garçon, gêné. Nous sommes en train de nous ridiculiser.

– Nous ridiculiser ? s'exclama son père, vexé. Nous ? »

Jonathan soupira une seconde fois. Son père avait amassé une fortune non négligeable en fabriquant des éléments de bicyclette, mais son niveau culturel était proche du néant, et il n'avait jamais fait le moindre effort pour améliorer cet état de choses. Jonathan ne risquait pas d'oublier de sitôt le scandale qu'il avait fait en commandant les billets pour ce voyage, convaincu que le prix était très exagéré… avant de découvrir que l'Espagne ne se trouvait pas en Amérique du Sud, comme il le croyait, mais en Europe, de l'autre côté de l'océan.

Jonathan se sentait coupable d'avoir honte de son père, mais il ne pouvait pas s'en empêcher.

Depuis la mort de sa femme, Bill Hadley avait fait tout ce qu'il avait pu pour respecter les volontés de cette dernière à propos de Jonathan, qui n'était alors encore qu'un bébé. Il avait investi beaucoup d'argent dans l'éducation de son fils, convaincu que le garçon deviendrait un jour un homme d'affaires important. Mais Jonathan ne semblait pas s'intéresser aux choses terrestres. C'était un rêveur. Son passe-temps favori consistait à lire, et à imaginer à quoi ressemblait la vie dans des terres lointaines qu'il ne visiterait jamais.

Cependant, sa plus grande passion avait toujours été l'Espagne.

Le père espérait qu'avec le temps son fils deviendrait un peu plus raisonnable, mais il n'avait pas résisté à la tentation de lui offrir le plus beau cadeau d'anniversaire que Jonathan aurait pu souhaiter. En effet, prenant pour prétexte le seizième anniversaire du jeune garçon, qui tombait en septembre, Bill Hadley avait décidé de l'emmener en Espagne pendant les vacances d'été.

Voilà pourquoi ils étaient là tous les trois, Jonathan, son père, et Marjorie, la toute récente épouse de ce dernier. L'adolescent était très reconnaissant envers son père pour ce merveilleux cadeau, mais il commençait à penser qu'il aurait peut-être été préférable d'attendre encore quelques années et d'entreprendre ce voyage tout seul.

Bill Hadley lança un dernier coup d'œil dédaigneux à la porte obstinément fermée et grogna une fois de plus, tournant le dos au bâtiment.

« Autant partir, décida-t-il. Cette stupide brochure doit être... »

Un grincement inattendu le fit taire. Ils se tournèrent tous trois vers la porte, surpris.

Elle était entrouverte. Par l'entrebâillement, on pouvait distinguer un visage parcheminé, dans lequel clignaient de petits yeux derrière des lunettes en demi-lune.

« Peut-on connaître la raison de ce vacarme ? protesta le petit homme d'une voix cassée. Ceci est une propriété privée, savez-vous ? »

Bill Hadley s'était avancé, brochure à la main, mais les paroles irritées du vieux l'avaient interrompu dans son élan. Il n'avait pas compris un seul mot, mais le ton était suffisamment clair.

« Qu'est-ce qu'il radote, ce vieux, Jonathan ? »

L'adolescent s'approcha, embarrassé, en nettoyant ses lunettes.

« Veuillez excuser mes parents, monsieur », dit-il dans un espagnol académique, exagérément correct. « Nous sommes à la recherche du musée des Horloges. Pourriez-vous nous indiquer le chemin ? »

L'expression du vieil homme changea. Il examina soigneusement Jonathan.

« Il doit y avoir une erreur.

– Oui, probablement, mais si vous pouviez nous dire où...

– Le musée des Horloges est ici, expliqua le vieux. Ou plutôt, il *était* ici. Cela fait sept ans que le musée est fermé. » Jonathan se tourna vers son père et sa belle-mère pour leur expliquer la situation, mais ils ne voulurent rien entendre.

« Il est écrit ici que le musée est ouvert ! insista Bill en agitant la brochure sous le nez du vieux.

– Arrête, Papa ! pria Jonathan, mal à l'aise.

– Et pourquoi ? Dis-lui que nous venons de très loin. Du Texas. Te-xas. Dis-le-lui, allez !

– Laisse le gamin tranquille, Bill, intervint Marjorie. Tu ne vois pas que tu lui fais honte ?

– Et pourquoi ? J'aimerais juste avoir une explication, voilà tout ! »

Jonathan poussa un soupir de résignation.

« Mes parents insistent pour voir le musée, si les horloges sont toujours là, bien sûr, traduisit-il au portier.

– Jeune homme, il ne s'agit pas de ce que tes parents veulent ou de ce qu'ils ne veulent pas, répliqua le vieux sévèrement. Les horloges sont toujours là, mais l'exposition a été fermée. Je ne sais pas où vous avez entendu dire que vous pouviez venir, mais c'est une erreur. Bonsoir. »

Il voulut fermer la porte, mais le pied de Bill s'introduisit dans l'entrebâillement et l'en empêcha.

« Laisse tomber, Papa. Il dit que ça fait des années que l'exposition n'est plus ouverte au public.

– Jonathan, pauvre naïf, on pourrait te faire gober n'importe quoi. Tu ne vois pas que ce vieux te raconte ça juste parce qu'il n'a pas envie de travailler aujourd'hui ?

— Bill, arrête de t'en prendre à ton fils, s'interposa Marjorie. Il essaie simplement d'être bien élevé.»

Jonathan jeta un regard reconnaissant à sa belle-mère. Marjorie n'était pas une lumière, elle était superficielle et souvent affectée, mais dans le fond elle se montrait plutôt gentille, et il s'était toujours bien entendu avec elle.

«Pourquoi est-ce que tu le défends tout le temps?» protesta Bill tout en continuant à bloquer la porte. «Ce n'est pas comme ça qu'on va en faire un homme!»

Ignorant cette dispute de famille, le petit vieux tentait toujours de fermer la porte, mais en vain. Jonathan cherchait comment s'excuser pour le comportement de son père, qui s'était lancé dans une grande tirade contre «ces Espagnols qui essayaient sans cesse d'arnaquer les pauvres touristes».

«C'est bon, fit soudain le vieux, fatigué. Vous l'aurez voulu.»

Il ouvrit la porte en grand, et Marjorie Hadley s'empressa d'entrer pour échapper au soleil. Avec un grognement de satisfaction, Bill Hadley l'imita. Jonathan demeura encore un moment dehors, hésitant. Mais son père l'appelait; il ne lui restait plus qu'à pénétrer lui aussi dans le bâtiment.

Il se retrouva dans un vestibule agréablement frais mais très sombre: il lui fallut plusieurs secondes pour s'habituer à la pénombre. L'espace d'un instant, deux points brillants comme des yeux l'inquiétèrent, mais il se rassura en entendant un faible miaulement, et en voyant un maigre chat noir traverser rapidement le corridor. Il n'eut pas le loisir d'examiner plus longuement l'endroit, car la voix du vieux se fit entendre :

« Par ici, s'il vous plaît. »

Ils le suivirent tous les trois le long d'un couloir obscur et interminable. Jonathan avait rattrapé le vieux, et il l'entendit marmonner entre ses dents :

« Le marquis ne va pas aimer ça...

– Le marquis ? » demanda Jonathan sans réfléchir. Il se repentit tout de suite d'avoir parlé, car le vieux se tourna vers lui, sourcils froncés, et l'adolescent craignit d'avoir été indiscret.

« Le maître des lieux est un marquis », confirma le vieux. Il s'arrêta devant une porte et l'invita d'un geste à passer devant lui. « La collection que vous allez avoir la chance de contempler est le résultat de sa passion pour les horloges. Passion partagée par bon nombre de ses aïeux, si je puis me permettre cette précision. »

Bill Hadley, fatigué de ce discours auquel il ne comprenait rien, entra dans la salle avec impatience et regarda autour de lui. Jonathan et sa belle-mère l'imitèrent.

Ce qu'ils virent les laissa sans voix.

Ils se trouvaient dans une salle immense tout en longueur, dotée d'un haut plafond en bois à caissons. Aux murs, étagères, vitrines et niches se succédaient, présentant à la vue toutes les horloges imaginables : cadrans solaires, sabliers, pendules, coucous, montres à bracelet, montres à gousset, carillons, horloges à poids, horloges à ressorts, horloges électroniques, horloges murales, horloges de table... horloges de tous les types, de toutes les formes, de toutes les tailles. La pièce entière vibrait au son de plusieurs centaines de tic-tac qui semblaient composer une mélodie mystérieuse et fascinante.

«Entrez, avancez, regardez, dit le vieux laconiquement. Et ne touchez à rien, je vous prie.»

Jonathan ne se fit pas répéter l'invitation. Il avança de quelques pas, s'arrêta devant la première vitrine, et observa les horloges avec attention. Elles marquaient toutes la même heure, à la seconde près, et on ne pouvait y déceler le moindre grain de poussière.

Son père venait de faire la même constatation.

«Je te l'avais bien dit! ricana-t-il. Le musée est encore ouvert, sinon ils ne se donneraient pas autant de peine pour conserver en parfait état cet immense tas de ferraille!»

Jonathan fut tenté de lui faire remarquer qu'il avait autant de sensibilité qu'un bloc de béton armé, mais il préféra se taire et continuer à arpenter le musée.

Il fut surpris de constater qu'aux côtés d'horloges parfaitement reconnaissables se trouvaient des instruments dont il n'aurait jamais deviné la nature s'il les avait rencontrés ailleurs.

Il s'arrêta devant une horloge murale en bois. Celle-ci comportait deux petites portes qui venaient de s'ouvrir. Une figurine représentant un bûcheron s'avança par l'une des ouvertures, tandis qu'un arbre miniature sortait de l'autre. Fasciné, Jonathan regarda le bûcheron se placer devant l'arbre et lever sa hache.

L'espace d'un instant, le temps parut gelé, tandis que la hache descendait doucement. Mais lorsque celle-ci frappa le bois, Jonathan eut l'impression que la salle entière s'effondrait sur lui.

L'adolescent fit un bond en arrière. Il lui fallut quelques secondes pour comprendre ce qui se passait, mais toutes les horloges le lui hurlaient dans les oreilles, et Jonathan ne put ignorer très longtemps le fait qu'il était désormais cinq heures et demie.

Le bûcheron avait donné cinq coups de hache contre le tronc de l'arbre et deux coups contre l'une de ses branches, et un tintement avait accompagné chacun de ses coups, mais ce léger son s'était perdu dans le vacarme que produisaient plusieurs centaines d'horloges sonnant toutes l'heure en même temps, provoquant une cacophonie assourdissante à base de cloches, trompettes, coucous, etc.

Recouvrant son calme, Jonathan se retourna vers ses parents, et constata qu'il n'avait pas été le seul à être effrayé par ce concert inattendu.

« Quelle horreur ! se plaignit Marjorie, pâle. C'est toujours comme ça ?

– En général, oui, chère madame, répondit dans un parfait anglais britannique une voix sereine depuis l'un des angles de la salle, ce qui ne saurait surprendre, étant donné que je possède plus de six cents horloges et que chacune d'entre elles fonctionne parfaitement. »

Tous trois sursautèrent et se retournèrent. Près de la porte se tenait la haute et sombre silhouette d'un homme qu'ils n'avaient pas entendu entrer.

« Mon… Monsieur le marquis, balbutia le vieux, je… je suis désolé, ces personnes ont beaucoup insisté et…

– Ne t'excuse pas, Basilio», l'interrompit calmement le marquis. Il ajouta en anglais : « Recevoir des visiteurs en ce chaud après-midi d'été est une agréable surprise. »

Il avança, passant devant les fenêtres ; la lumière du jour illumina son visage. Il était plus jeune que Jonathan ne l'aurait supposé. Ses traits énergiques et décidés étaient encadrés par des cheveux noirs désordonnés qui accentuaient encore sa pâleur. Son regard était impénétrable, inquisiteur, et peut-être légèrement moqueur.

« Vous êtes le propriétaire de tout ça, pas vrai ? » demanda Bill Hadley, soulagé d'avoir trouvé quelqu'un qui parlait sa langue, mais encore incertain de l'accueil que lui réserverait le marquis.

« Absolument. J'imagine que mon majordome vous a informés du fait que l'exposition n'est plus ouverte au public.

– Ce n'est pas ce qui est écrit ici », protesta Bill en agitant sa brochure touristique.

Il n'eut pas le temps d'en dire davantage avant que le marquis n'arrive tout à côté de lui. Bill se tut. De près, le marquis était bien plus grand qu'il ne leur avait semblé à première vue.

« Permettez-moi », dit-il calmement en prenant la brochure. « Merci. Ah, c'est bien ce que je pensais. Ce dépliant a été imprimé il y a plus de dix ans. »

Il rendit la brochure à Bill qui s'empressa de vérifier la date d'impression.

« La jeune femme qui nous l'a donnée à l'office de tourisme était nouvelle, intervint Jonathan. Elle a d'ailleurs mis un certain temps à trouver ce que nous lui demandions.

– Tout est donc clair, rétorqua le marquis. Mais enfin, puisque vous êtes ici, je ne vois aucune objection à ce que vous terminiez votre visite.

– C'est une collection magnifique, commenta Marjorie dans un effort pour être aimable.

– C'est vrai, soupira le marquis. J'ai une faiblesse pour les horloges. J'ai consacré ma vie à en collectionner de tous les types, de toutes les époques… Et voici le résultat.» Il jeta un coup d'œil autour de lui, une lueur d'orgueil dans le regard. «Quelques-unes de ces pièces valent une véritable fortune, mais ce n'est pas le plus important. Le fait est que les horloges me plaisent en soi. Ce sont des instruments dont le but était de mesurer le temps, mais qui se sont mis à essayer de l'attraper. Elles représentent l'appel désespéré de l'humanité qui ne veut pas mourir. Tic-tac, tic-tac… En réalité, les horloges nous disent: "Il ne te reste plus beaucoup de temps, il ne te reste plus beaucoup de temps…" Et comme tant d'autres inventions humaines, elles se sont, elles aussi, retournées contre leur créateur. Les horloges n'ont pas capturé le temps, mais elles ont emprisonné les êtres humains. Vous ne me croyez pas?» demanda le marquis en constatant que Bill et Marjorie avaient fait un geste sceptique. Son sourire moqueur s'accentua. «Vous portez tous les deux des montres, alors que vous êtes en vacances. Vous voyez? Vous êtes prisonniers des horloges. Elles marquent le rythme de votre vie.»

Bill plongea ses mains dans ses poches sans répondre.

«Mais je ne veux pas vous ennuyer plus longtemps, conclut le marquis. Continuez à examiner ma collection, si vous le désirez. Quand elle était ouverte au public, chaque horloge était accompagnée d'une notice explicative. Je les ai retirées lorsqu'on m'a obligé à fermer le musée, car elles n'étaient plus nécessaires : je connais par cœur l'histoire et les caractéristiques de chaque pièce de ma collection. Si l'une d'entre elles suscite votre intérêt, n'hésitez donc pas à me poser des questions : je me tiens à votre disposition. »

Il salua d'un bref signe de tête et alla rejoindre Basilio, le majordome, près de la porte.

Jonathan cessa de lui prêter attention et poursuivit sa visite du musée. Il erra en long et en large, de plus en plus surpris de constater qu'il y avait tant de types d'horloges qu'il ne connaissait pas. Un tableau accroché au mur attira son regard. Il représentait un marché sur une place. Sur la tour de la mairie, les aiguilles de la grande horloge bougeaient réellement, et marquaient six heures moins vingt, comme toutes les autres horloges de la salle. « Une horloge dans un tableau ! » s'exclama mentalement Jonathan.

Une autre horloge pendait du plafond telle une lampe. Dans une vitrine, il aperçut un groupe d'horloges minuscules enchâssées dans des bagues. Il s'arrêta devant un instrument constitué de deux récipients en verre superposés : un liquide rougeâtre coulait lentement du récipient supérieur au récipient inférieur.

« C'est une horloge, ça ? se demanda-t-il à mi-voix.

– Une clepsydre », lui répondit la voix du marquis tout près de lui, le faisant sursauter. « On l'appelle vulgairement une horloge à eau. Comme les cadrans solaires ou les sabliers, elle n'est pas très précise. Mais ce fut l'une des toutes premières horloges utilisées par l'homme. »

Jonathan acquiesça sans savoir quoi dire.

« Ah, fit soudain le marquis. Il est presque six heures moins le quart. »

L'adolescent ne saisit pas tout de suite le sens de sa remarque, jusqu'au moment où toutes les horloges se mirent une fois de plus à sonner l'heure en même temps, quoique le vacarme fût cette fois moins violent qu'à cinq heures et demie. Le père de Jonathan s'y était préparé et attendait, résigné, que les horloges cessent de sonner. Marjorie, en revanche, avait été prise une fois de plus par surprise, et se bouchait les oreilles avec l'air de quelqu'un qui souffre d'une violente migraine.

En parfaite synchronisation, les horloges se turent et la salle recommença à se remplir de tic-tac qui ressemblaient presque à des murmures humains.

« Je crois que nous en avons assez vu pour aujourd'hui, décida Bill. Merci pour votre amabilité, monsieur…

– Monsieur le marquis, termina le maître des lieux en souriant. J'espère que ma modeste collection vous aura plu.

– Bien sûr. » Bill se dirigea vers la porte, suivi de son épouse, mais au moment de sortir, il se retourna vers le marquis. « Mais je crois que vous avez perdu le compte des horloges que vous possédez, monsieur… le marquis. Vous nous avez dit en avoir plus de six cents, mais je n'en ai compté que cinq cent quatre-vingt-dix-sept. »

Les yeux du marquis semblèrent émettre un éclair, et il cessa de sourire. Basilio gémit et recula de quelques pas, comme si quelque chose de terrible était sur le point de se produire. Seul Jonathan se rendit compte de cette étrange réaction, mais il n'y prêta pas plus d'attention, car déjà le marquis répondait :

«Je tiendrai compte de votre observation, monsieur Hadley. Permettez-moi de vous raccompagner jusqu'à la sortie.»

Jonathan se demanda comment le marquis connaissait le nom de son père, mais il ne dit rien, Bill paraissant très satisfait de lui-même.

«Merci, marquis. Et au fait, pourquoi est-ce que vous avez dû fermer le musée? Manque d'argent, pas vrai? Forcément, si l'entrée était gratuite...»

Cette fois, Bill Hadley lui-même ne put ignorer la lueur dangereuse qui se mit à briller dans les yeux du marquis.

«Hé, ne vous vexez pas! On est entre nous! Vous pouvez me faire confiance, non?

– Non», répliqua le marquis, et il lui lança un long regard qui donna la chair de poule à Jonathan. «Vous désirez réellement le savoir?

– Pourquoi est-ce que je vous l'aurais demandé, sinon?»

Le marquis continua à les dévisager, comme s'il pouvait lire à l'intérieur de leurs âmes. Jonathan vit du coin de l'œil que Basilio secouait la tête, affligé.

«Très bien, conclut leur hôte avec un geste d'indifférence. Suivez-moi, je vous prie.»

Il leur tourna le dos et pénétra à nouveau dans la salle aux horloges.

«Billy..., protesta Marjorie.

– Qu'est-ce que vous avez à nous montrer? demanda son mari. Ça va prendre longtemps?

– Probablement. Mais c'est vous qui avez posé cette question, n'est-ce pas?»

Bill demeura pensif pendant quelques instants, puis il haussa les épaules :

«Nom d'un chien, vous piquez ma curiosité! Allons-y!»

Il se mit en marche derrière le marquis, et Marjorie lui emboîta le pas en poussant un bruyant soupir. Jonathan et le vieux portier fermèrent la marche. La conversation s'était déroulée en anglais, et le vieux ne parlait qu'espagnol; il semblait pourtant comprendre mieux que tous les autres ce qui était en train de se passer.

Jonathan se sentait inquiet. Sa raison avait beau lui affirmer qu'il ne pouvait rien y avoir de dangereux dans une collection d'horloges, son instinct lui criait qu'il y avait quelque chose de sinistre chez le marquis.

«Par ici, je vous prie», dit ce dernier aimablement en souriant à ses invités.

Les horloges continuaient à tictaquer, comme pour marquer leur approbation.

CHAPITRE 2

Le marquis les guida jusqu'à une porte fermée au fond de la salle aux horloges, tout en prenant un trousseau de clefs dans l'une des poches de sa veste. La porte avait de nombreuses serrures, et il fallut plusieurs minutes avant qu'elles ne soient toutes déverrouillées et que l'intérieur de la salle ne devienne visible.

Les trois membres de la famille Hadley entrèrent à la suite du marquis et inspectèrent les lieux. Ils se trouvaient dans une pièce qui semblait une prolongation du musée, avec les mêmes étagères au mur. Mais la pièce était très petite, fraîche et sombre.

« D'autres horloges ? demanda Bill, mi-narquois, mi-déçu.

– Six horloges de plus, confirma le marquis. En les ajoutant aux cinq cent quatre-vingt-dix-sept que vous avez pris la peine de compter, nous passons la barre des six cents. Cela fait six cent trois, pour être exact. »

Jonathan ne put s'empêcher de sourire devant l'expression déconcertée de son père et devant l'élégante revanche du marquis. Mais cette pièce plongée dans la pénombre lui causait une vague inquiétude.

« Pourquoi y a-t-il si peu de lumière, ici ? demanda-t-il.

– Parce que ces six appareils ont besoin d'un environnement constant. Cette pièce est maintenue à température moyenne, dans une semi-obscurité, et elle est également protégée des bruits stridents. Je vous prie d'ailleurs de bien vouloir ne pas élever la voix ; ces horloges sont extrêmement délicates.

– Je ne comprends pas, dit Bill. Vous ne voulez pas dire que ce sont ces horloges qui vous ont obligé à fermer le musée ?

– Je vais tâcher de vous expliquer cela, monsieur Hadley. Voyez-vous, pour une raison ou pour une autre, toutes les horloges de la salle que vous avez visitée tout à l'heure sont des pièces de collection : que ce soit pour leur histoire, pour leur âge, pour leur valeur artistique ou pour leur rareté. Mais ces six horloges-ci sont infiniment plus précieuses. Je vais vous les montrer une par une, mais je vous recommande, sur ce que vous avez de plus cher, de ne pas même les effleurer. Ceci pour votre propre bien.

– C'est une menace ? gronda Bill.

– Un conseil, voilà tout, répondit le marquis sans hausser la voix. À l'origine, cette salle faisait également partie du musée. Elle représentait en quelque sorte le clou du spectacle. Vous n'êtes donc pas les premiers à pénétrer ici. Mais certains visiteurs ne suivirent pas mes recommandations et… comment dire ?… mettons que cela eut des conséquences désagréables. En d'autres termes, je me vois obligé de vous prévenir du danger que représentent ces horloges ; si vous passez outre cet avertissement, je ne me considérerai pas comme responsable de ce qui pourrait arriver. »

Bill le fixa avec scepticisme.

« Bah ! dit-il finalement. Vous m'avez l'air un peu marteau, vous !

– Peut-être, sourit le marquis. Mais je vous conseille d'écouter ce que j'ai à vous raconter avant de juger. »

Bill Hadley haussa les épaules.

« Comme vous voudrez. Nous sommes en vacances, nous avons tout notre temps, pas vrai ? »

Le marquis sourit à nouveau et les guida vers la première vitrine. Y reposait une antique montre à gousset en argent, aux aiguilles finement ouvragées. Elle était entrouverte. Sur la partie extérieure du couvercle, on distinguait les contours effacés d'un blason. À l'intérieur se trouvait une inscription latine : *Redde Quod Debes.*

« "Rends ce que tu dois", traduisit le marquis. Autrement dit : "Paie tes dettes." Cette montre était le bien le plus précieux d'un cordonnier du XVIIIe siècle. Ce bijou appartenait à sa famille depuis plusieurs générations. Or, ce cordonnier mourut assassiné par un noble qui refusa de payer le prix qui avait été établi pour une paire de souliers. Dans la dispute qui s'ensuivit, il tira son épée et tua le cordonnier. Ça n'avait pas été son intention première, mais cela ne l'empêcha pas de se débarrasser discrètement du cadavre, non sans l'avoir fouillé pour le dépouiller de ses maigres possessions. Le crime fut étouffé, et le noble fit graver ses armes sur le couvercle de cette montre. Mais peu après, l'inscription *Redde Quod Debes* y apparut mystérieusement. Le ciseleur eut beau promettre et jurer qu'il s'était limité à graver le blason, le noble ne le crut pas, et il fit en sorte que ce ciseleur ne puisse pas aller raconter cette aventure à qui que ce soit.

« Cela n'y changea rien. La montre était tombée sous le poids d'une malédiction, et la mort du cordonnier fut payée… par la mort du noble. Tant que ce dernier fut en son pouvoir, la montre lui vola son temps. Quand son nouveau possesseur comprit que ce maudit bijou était la cause de son vieillissement prématuré, il tâcha de s'en défaire, mais il était déjà trop tard. L'assassin avait trente-cinq ans, mais il avait l'aspect d'un vieillard qui a passé les quatre-vingts ans. Il mourut peu après.

« Cet objet reste maudit, voilà pourquoi il est dangereux. Il se nourrit de temps. Et cela fait aujourd'hui longtemps que personne ne l'a touché ; il est donc particulièrement affamé. Si vous voulez bien l'observer de plus près, vous constaterez que le blason commence à s'effacer, alors que l'inscription reste aussi lisible que le jour où elle apparut inexplicablement sur la montre. »

Bill Hadley regarda sa famille en haussant les sourcils d'un geste significatif. Il eut le tact inattendu de ne pas dire à voix haute ce qu'il pensait de cette histoire, mais Jonathan n'avait pas le moindre doute à ce sujet.

Le marquis sembla avoir aperçu le geste de son invité, car il lui décocha un coup d'œil inquiétant. Cependant, il ne dit rien et se contenta de les guider vers l'horloge suivante.

Il s'agissait d'un appareil composé de barres verticales et d'un curieux mécanisme semblable à un pendule avec plusieurs roues dentées qui faisaient se lever et se baisser alternativement deux des barres, causant un bruit semblable à un tic-tac traditionnel. Jonathan avait vu d'autres appareils de ce type dans la salle d'exposition, mais aucun n'était aussi grand.

«Une horloge traditionnelle, expliqua le marquis. Du XIIIe siècle. Comme vous pouvez le constater, elle ne comporte aucun cadran : elle n'indique pas l'heure qu'il est. En revanche, elle marque le temps et elle le divise en secondes. Elle appartenait à un archevêque allemand qui avait une obsession : compter le temps restant jusqu'au Jugement dernier. Tout ce qu'il réussit à produire fut cette horloge. Mais il fut absolument fasciné par sa propre invention. Il passait des nuits et des jours entiers assis devant, à en écouter le tic-tac et à observer le mouvement des pièces, de haut en bas, de bas en haut... Jusqu'à ce qu'il soit plongé dans un état d'hypnose dont personne ne put le tirer. Quand on l'arracha à sa chaise, il était totalement rigide, et on ne put jamais le réveiller. Il passa le reste de ses jours assis, à bouger ses yeux de haut en bas, de bas en haut, comme s'il pouvait encore voir les engrenages de son horloge, et en claquant la langue en rythme pour imiter son tic-tac. Il ne mangeait plus, ne buvait plus, ne dormait plus. Il se consuma peu à peu, et finit par mourir.

— Quelle histoire désagréable, s'exclama Marjorie en frissonnant.

— C'est une légende, voilà tout, répliqua Bill en croisant les bras. Ce n'est pas arrivé pour de vrai.

— Oh, dit le marquis sans que son visage manifeste la moindre expression, vous croyez ?

– Bien sûr. Si l'histoire était vraie, quelqu'un aurait détruit ce... cette satanée horloge.

– Les objets maléfiques savent prendre soin d'eux-mêmes, et il n'est pas facile de les détruire. Cette horloge fonctionne encore, et elle reste maléfique. L'archevêque ne fut pas le seul qu'elle mit en transe, de sorte que si j'étais à ta place, jeune homme, je détacherais mon regard de cet instrument, à moins que tu ne désires finir tes jours en bougeant les yeux de haut en bas et en claquant la langue.»

Jonathan se secoua et s'éloigna de l'horloge, un peu confus. Son père posa sa main sur son épaule en un geste protecteur, même si Jonathan était aussi grand que lui.

«Ne fais pas attention, fiston, chuchota-t-il. Ce sont des racontars de bonnes femmes.»

Jonathan ne répondit pas, mais lança un coup d'œil au marquis pour voir si ce dernier avait entendu. Celui-ci ne dit rien, ne leur adressa pas même un regard, mais ses lèvres se courbèrent en un fin sourire.

Ils avancèrent vers l'objet suivant, un gigantesque sablier.

«Et celui-là, qu'a-t-il de spécial? demanda Bill, amusé. Il est maléfique, lui aussi?»

Le marquis fit signe de non. Il n'avait pas l'air offensé.

«Ce sablier fait partie d'un pacte sinistre. Un jour, un homme vendit son âme au diable en échange de l'immortalité. On lui remit ce sablier mesurant la durée de sa vie. Tant que le sable s'écoulerait, l'homme vivrait; quand cela cesserait, il mourrait. La seule chose que l'homme avait à faire était de le retourner, encore et toujours, jusqu'à ce qu'il se lasse de l'immortalité. Ce sablier fut... perdu, et il... tomba entre mes mains par hasard.» Le marquis souriait comme un requin. «La vie de son propriétaire dépend de cet objet. Cela fait cinq fois que je le retourne, mais qui sait... il se pourrait que je m'en lasse un jour.»

Jonathan regarda le sablier, fasciné, mais son père avait perdu patience.

«Vous nous avez amenés jusqu'ici pour nous faire avaler ces sornettes?»

Le marquis se tourna vers lui et le transperça du regard. Bill Hadley recula, soudainement effrayé.

«Appelez ça comme vous voudrez, monsieur Hadley», dit le marquis d'un ton tellement froid qu'il aurait pu congeler l'enfer lui-même. «Mais sachez qu'on trouve encore aujourd'hui dans un asile psychiatrique une femme qui bouge les yeux et claque la langue au rythme de ma magnifique horloge médiévale. Et que pas moins de six personnes perdirent leur âme à l'intérieur de l'horloge de Qu Sui, que vous apercevez là-bas. Et que deux jeunes gens disparurent pour toujours dans les replis de l'espace-temps simplement parce qu'ils s'approchèrent de trop près de l'extraordinaire pendule de Barun-Urt, que je m'apprêtais à vous montrer. Sans parler de cet autre sablier prodigieux, le sablier de Shibam, qui fit rajeunir deux hommes et une femme jusqu'à un degré antérieur à leur propre naissance, lorsqu'ils le retournèrent pour voir le sable couler à l'envers.»

Bill avala sa salive.

«Mon Dieu, mais vous parlez sérieusement! Vous croyez réellement à toutes ces bêtises!

– Voilà pourquoi, reprit le marquis sans prêter attention

à ses paroles, voilà pourquoi je me vis contraint de fermer le musée. Croyez-moi, cela m'est parfaitement égal que vous mettiez votre tête dans l'horloge de Barun-Urt, ou que vous décidiez de nourrir *Redde Quod Debes* avec votre propre temps. J'ai toujours prévenu mes visiteurs, mais en estimant que ma responsabilité s'arrêtait là. Malheureusement, les autorités locales ne partageaient pas mon point de vue…»

Il y eut un silence tendu. Bill Hadley ouvrit la bouche, mais ne réussit pas à trouver ses mots. Le marquis sourit avec amabilité, et poursuivit.

«Maintenant que vous avez la réponse à votre question, même si je doute fort que vous ayez compris l'importance des objets que je garde ici, je vous prie de bien vouloir m'excuser, mais j'ai diverses affaires à régler, et je suis bien certain que vous-même avez encore beaucoup de choses à découvrir dans la Cité Antique.»

Bill cligna des yeux, un peu perplexe. Le marquis n'avait à aucun moment élevé la voix, et son ton était resté parfaitement poli et courtois, mais il avait la nette impression qu'il venait d'être traité d'imbécile et qu'on était en train de le chasser purement et simplement.

«Heu… Ben, oui… balbutia-t-il, hésitant. Oui, je suppose que nous devrions nous en aller. Je vous souhaite bonne chance avec vos… horloges. Jonathan, Marjorie, on y va… Marjorie?»

La jeune femme s'était arrêtée devant un instrument d'une rare beauté. Il était formé d'une sphère en verre reposant sur un piédestal de marbre. Au-dessus de la sphère se trouvait une plate-forme en or et albâtre avec une série d'inscriptions en caractères orientaux, et sur cette plate-forme se mouvait un groupe de figurines en or représentant chacune un animal : un rat, un tigre, un dragon, un cheval, un coq, un chien, une chèvre, un singe, un serpent, un sanglier, un lièvre et un taureau. Dans la figure centrale, figure immobile autour de laquelle évoluaient les statuettes, on pouvait reconnaître un empereur chinois. Les animaux ne tournaient pas simplement autour de l'empereur, ils effectuaient une chorégraphie étrange et en apparence chaotique. À ce moment précis, le coq était en train de s'incliner lentement devant l'empereur.

Mais ce qui attira l'attention de Jonathan et de son père, ce ne fut pas la perfection délicate des miniatures, mais l'étrange brouillard qui tournait à l'intérieur de la sphère et qui, inconcevablement, paraissait alimenter les mouvements des figurines en or. Il y avait quelque chose de pervers et de sinistre dans cette brume fantastique, et Jonathan sentit son sang se glacer dans ses veines sans savoir pourquoi.

Ce fut alors que, comme au ralenti, Marjorie avança la main pour caresser la sphère du bout des doigts. Dans la pièce, le temps semblait s'être figé. Le silence se prolongea pendant quelques interminables secondes, jusqu'à ce qu'un soupir du marquis les fît revenir à la réalité.

« N'oubliez pas que je vous avais prévenus », dit-il avec plus de résignation que d'inquiétude.

Toutes ensembles, les horloges de la pièce voisine sonnèrent six heures. La tête du coq doré toucha les pieds de l'empereur.

Marjorie Hadley tomba au sol, évanouie.

CHAPITRE 3

Les moments qui suivirent furent pleins de confusion. Bill et Jonathan se précipitèrent vers la jeune femme inerte. Elle était mortellement pâle, et ses yeux ouverts fixaient un point dans le vague. Pendant un instant, ils la crurent morte, mais découvrirent bientôt que ses lèvres étaient encore animées par un léger tremblement.

« Il faut appeler une ambulance », cria Bill en se levant d'un bond.

Mais le marquis l'attrapa par le bras.

« Attendez. Elle n'est pas malade, elle n'est que prisonnière. Mais si vous l'éloignez de l'horloge, elle mourra. »

Bill se dégagea avec un geste furieux.

« C'est votre faute, espèce de fou ! Je peux vous assurer que je ferai en sorte que vous passiez le restant de vos jours en prison, et qu'il ne reste pas une seule pierre de ce lieu maudit ! »

Le marquis ne répondit pas. Il se contenta de se planter devant lui et de le regarder dans les yeux. Il semblait avoir grandi, et contenir tout le pouvoir de l'Univers dans ses pupilles sombres. Bill recula de quelques pas, effrayé. Il ne tenta pas de résister lorsque le marquis referma sa main droite, comme un piège, sur son avant-bras, et l'obligea à se placer devant l'horloge et à baisser la tête pour entendre le bruit mystérieux et presque inaudible qui provenait du globe.

Jonathan était encore recroquevillé à côté de sa belle-mère, incapable de réagir ou de comprendre ce qui était en train de se passer. Mais il vit avec une clarté implacable le changement d'expression de son père. Son visage perdit ses couleurs, ses yeux s'ouvrirent au maximum, exorbités de terreur, et son front se couvrit de gouttes de sueur.

« Papa ! » cria l'adolescent, se relevant brusquement.

« Mar... Marjorie... », murmura Bill.

Puis il s'effondra.

Il ne tomba pas brutalement, comme son épouse, mais se laissa glisser jusqu'à se retrouver assis par terre, les épaules affaissées, la tête baissée, une expression de désespoir peinte sur le visage.

« Papa ! répéta Jonathan en se penchant sur lui. Ça va ? Qu'est-ce qui se passe ? »

Mais l'homme secouait la tête en murmurant le nom de son épouse. Toute sa force et son arrogance l'avaient abandonné. Jonathan l'attrapa par les épaules, qui lui parurent aussi fragiles que du cristal. Bill Hadley semblait avoir vieilli de dix ans, et le jeune garçon ne put s'empêcher de frissonner. Il se refusait encore à croire aux histoires fantastiques du marquis, mais cela faisait déjà un moment que son cœur était en proie à l'angoisse et à l'incertitude.

Il se retourna vers le maître des lieux.

« Qu'est-ce que vous lui avez fait ? »

Le marquis haussa les épaules et lui lança un regard froid, presque inhumain.

« Je lui ai simplement fait comprendre dans quelle situation se trouve son épouse, et pourquoi les médecins ne pourraient pas la sauver. Il n'est visiblement pas assez fort pour accepter la vérité. »

Jonathan se sentit envahi par une vague de colère et de désespoir. La sensation d'impuissance produite par le fait de ne pas comprendre ce qui se passait était insupportable. Il se leva d'un bond et se planta devant le marquis.

« Quelle vérité ? Dites-moi ce qui est arrivé à mes parents ! » exigea-t-il.

Son adversaire le toisa avec une lueur d'admiration dans les yeux.

« Peut-être as-tu plus de trempe que ton père, jeune homme... Ta belle-mère court un grave danger. Elle est actuellement entre la vie et la mort. Approche-toi de l'horloge et écoute. Mais attention, ne touche pas le globe ! Ne l'effleure même pas ! »

Jonathan hésita, mais il finit par s'exécuter.

Tout d'abord, il n'entendit rien. Puis, peu à peu, il commença à percevoir un murmure semblable au vent entre les feuilles des arbres.

« Qu'est-ce que c'est ? interrogea-t-il.

— Écoute », ordonna le marquis.

Jonathan prêta de nouveau attention au murmure qui se faisait de plus en plus clair. Jonathan frissonna. On aurait dit un chœur de voix humaines qui parlaient toutes à la fois, chacune dans une langue différente. Elles paraissaient venir de très loin, mais le fait qu'il s'agissait de voix humaines ne faisait plus de doute.

«Mais qu'est-ce...»

Il s'interrompit brutalement. Une voix s'élevait au-dessus des autres. C'était une voix féminine, douloureusement familière. Une voix qui prononçait son nom.

«*Jo... na... than...*»

Jonathan retint un cri.

«Marjorie?

– *Jonathan...*», chuchota la voix de Marjorie depuis l'intérieur du globe de l'horloge de Qu Sui. «*Aide... moi... Sors... moi... de... là...*»

Jonathan, saisi, tourna la tête pour regarder directement le globe. Ce qu'il vit le paralysa de terreur: la brume mouvante semblait former les traits du visage de Marjorie, et ses yeux le fixaient, suppliants, tandis que des doigts de fantômes tâtaient l'intérieur du globe, tentant de s'échapper de cette horrible prison de cristal.

Les lèvres de l'apparition s'ouvrirent encore une fois.

«*Jo... na... than...*»

Le garçon s'écarta brusquement de l'horloge, pâle comme de la cire, et tremblant de tout son corps. Son cœur battait à toute allure. Il lui fallut un moment pour pouvoir parler.

«Il faut la sortir de là», réussit-il finalement à articuler.

Le marquis approuva de la tête.

«Le temps est compté», dit-il, et il sourit comme s'il venait de prononcer une phrase chargée d'amère ironie.

«Mais il y a une possibilité de sauver son âme avant qu'il ne soit trop tard... si tu es prêt à essayer, bien entendu.»

Jonathan ne répondit pas. Il dévisagea le marquis, dont le regard était toujours aussi intimidant.

«Qui... qui êtes-vous?» demanda-t-il enfin.

L'homme laissa échapper un rire bref.

«Je vois que contrairement à tes parents, tu possèdes encore un peu d'instinct. Eh bien, Jonathan, il ne te servirait à rien, pour l'instant, de connaître mon identité. Il est plus urgent que tu saches tout à propos de cette horloge et que tu te mettes à la recherche de la seule chose qui pourrait contrecarrer son influence. Avec un peu de chance, tu réussiras là où j'ai échoué.» Ses yeux lancèrent un éclair, et Jonathan recula d'un pas. «Et si tu réussis, nous pourrons récupérer l'âme de ta belle-mère... et peut-être autre chose avec. Es-tu disposé à m'écouter?»

Jonathan dévisagea son père, mais ce dernier paraissait absent, recroquevillé à côté du corps inerte de sa femme, et il gémissait d'une voix à peine audible. L'adolescent respira profondément. Il avait la sensation de se trouver au cœur d'un étrange cauchemar sans savoir comment se réveiller. Sans même s'en rendre compte, il fit un signe affirmatif.

Le marquis se mit alors à parler, et sa voix hypnotique transporta Jonathan jusqu'à une terre et une époque éloignées, au point qu'il eut l'impression de vivre lui-même l'histoire de l'extraordinaire horloge qui retenait prisonnière l'âme de sa belle-mère :

«L'horloge de Qu Sui fut créée en Chine, il y a de nombreux siècles, avant même qu'il n'existe en Europe des instruments mécaniques capables de donner l'heure. Ce fut le fruit de la curiosité insatiable d'un empereur qui aimait les choses extraordinaires. À son palais affluaient d'innombrables voyageurs venant de terres lointaines qui lui apportaient toutes sortes de merveilles en espérant l'intéresser. L'empereur se passionnait pour tout ce qui était nouveau ou surprenant, qu'il s'agisse d'animaux inconnus, d'appareils étonnants ou d'histoires incroyables.

«Mais la seule personne qui réussit à capter son attention à plusieurs reprises fut un magicien venu de Perse. Alchimiste, inventeur, illusionniste, mécanicien, poète... il ne cessait de créer de nouvelles choses, toutes pleines de beauté et de mystère. L'empereur, enchanté, décida de le garder auprès de lui, et le magicien remplit son palais de prodiges.

«Un jour, il se présenta devant lui avec un nouvel appareil capable de donner l'heure. Les Chinois divisent la journée en douze parties, nommées "tokis", qui correspondent aux douze animaux de leur horoscope. Cette machine était composée d'une série de pièces qui bougeaient de manière prédéterminée, en suivant le mouvement des astres. Chacune de ces pièces portait le symbole de l'un des tokis, et passait au centre de la circonférence avec une exactitude extraordinaire, qui fut confirmée par les astronomes les plus prestigieux de l'empire.

«L'empereur demeura en extase devant ce présent, et ordonna que l'on fasse de l'horloge un luxueux objet. La sphère fut taillée dans du marbre, et les pièces furent remplacées par de petits automates en or. Quand sonnait l'heure, l'animal correspondant s'inclinait devant la figure de l'empereur, immobile au centre de l'horloge.

«Mais bientôt, l'empereur se lassa de devoir remonter l'horloge chaque jour, et il demanda au magicien si l'on ne pouvait pas faire en sorte que l'horloge fonctionne toute seule, pour l'éternité. "Bien sûr, sire, il y a un moyen, répondit le magicien. Il existe une énergie éternelle, et je peux la capturer dans une sphère. Mais le prix à payer est très élevé."

«L'empereur lui ordonna de se mettre à l'œuvre sans tenir compte des risques. Quand le globe fut terminé, le magicien révéla à l'empereur ce qui devait le nourrir : des âmes.

«Ils gardèrent tous deux le secret. L'empereur commença à alimenter son horloge extraordinaire avec les âmes de ceux qui osaient le toucher. Bientôt, la ville se remplit de corps vivants, mais sans âme, comme des coquilles vides, comme des automates déambulant sans savoir où ni pourquoi. Personne ne connaissait l'origine de cette étrange maladie, en dehors de l'empereur et du magicien.

«Le temps passa, et l'empereur vieillit, mais l'horloge avait été nourrie copieusement et avait de quoi fonctionner pendant plusieurs siècles. Puis, un matin, les serviteurs découvrirent l'empereur vivant, mais sans âme, comme une poupée grotesque qui ne pouvait plus parler ni penser mais qui, d'une certaine manière, continuait à exister. Le magicien et l'horloge avaient disparu.

«Personne ne sut jamais ce qui c'était passé. Peut-être l'empereur avait-il essayé de se débarrasser du magicien, avait échoué, et avait subi la vengeance de ce dernier. Quoi qu'il en soit, à partir de ce jour-là, personne dans tout l'empire ne fut plus victime de la maladie mystérieuse qui transformait les vivants en non-morts. Au bout d'un certain temps, aucun remède n'ayant été découvert, tous les corps sans âme, y compris celui de l'empereur, finirent par être sacrifiés.

«On n'entendit plus jamais parler de l'extraordinaire horloge de Qu Sui, ni du magicien qui l'emporta. Quant à la manière dont elle a atterri dans ma collection... Disons que c'est une autre histoire, que tu n'as pas besoin de connaître pour le moment.»

La voix du marquis s'éteignit. Jonathan avait écouté son récit debout et en silence, sans quitter sa belle-mère des yeux.

«Voilà, tu sais tout, dit tranquillement le marquis. L'âme de Marjorie lui a été volée. Tu l'as toi-même entendue te parler depuis l'intérieur du globe de l'horloge de Qu Sui, et ton père aussi.»

Jonathan réagit. Il s'adressa au marquis en secouant la tête.

«Non, dit-il. Je n'y crois pas, je refuse d'y croire. Ce n'est pas vrai.»

Mais au fond de lui, il savait déjà que ça l'était.

Le marquis soupira encore et s'approcha de l'horloge. Le coq n'était déjà plus incliné face à l'empereur : il s'en éloignait lentement, pendant que la figurine représentant le chien commençait à se déplacer vers le centre.

«L'horloge a besoin d'un demi-cycle pour s'approprier une âme. Cela fait six tokis, autrement dit douze heures. Quand le chien, le sanglier, le rat, le taureau, le tigre et le lièvre seront tour à tour passés par le centre de la sphère, l'horloge de Qu Sui aura complètement assimilé l'âme de Marjorie Hadley, et il sera trop tard.»

Bill, toujours par terre, gémit.

«Mais que faut-il que je fasse?» demanda Jonathan, troublé.

Le marquis ne répondit pas tout de suite. Il avança vers le fond de la salle, et Jonathan le suivit. Ils passèrent successivement devant les deux horloges qu'ils n'avaient pas examinées : la pendule de Barun-Urt, ornée de capricieuses figures de type oriental, et le sablier de Shibam, celui dont le sable, selon le marquis, tombait vers le haut si on le retournait, provoquant un rajeunissement ininterrompu jusqu'à une date antérieure à la conception de la victime.

Mais le marquis ne prêta aucune attention à ces deux objets. Il se planta devant la septième vitrine, et Jonathan s'approcha, retenant sa respiration.

La vitrine était vide.

«J'ai passé toute ma vie à collectionner des horloges. La plupart sont des objets précieux, mais dans cette salle se trouvent des horloges... particulières, extraordinaires. Elles sont presque toutes maudites, ce qui ne m'a pas arrêté. Oh, je sais fort bien qu'il y a d'autres horloges puissantes dans le monde, mais aucune ne m'intéresse autant que l'une d'entre elles, très spéciale, qui m'a filé entre les doigts un certain nombre de fois. J'ai réservé un emplacement dans cette salle pour elle. Mais tu vois, Jonathan, aucune des pièces qui nous entourent à présent n'est comparable à l'horloge dont je te parle. Il s'agit d'un objet qui peut me rendre un grand service, et qui en même temps détient la clef qui permettrait de rendre son âme à Marjorie. Il s'agit de l'horloge Deveraux.»

Jonathan leva les yeux vers le marquis.

«Et comment est-ce que je suis censé mettre la main dessus en moins de douze heures?»

Le marquis écarta un peu le rideau de la fenêtre et fit signe à Jonathan de se placer près de lui.

Le paysage était magnifique. La Cité Antique, entourée de ses hautes murailles, se dressait de l'autre côté du fleuve, orgueilleuse, défiant le temps. Les bâtiments vétustes avaient survécu aux guerres, aux grands froids, aux incendies et aux inondations, et ils continuaient à dormir à l'ombre de la cathédrale gothique et de plusieurs synagogues et mosquées, souvenirs d'un temps où, derrière ses murailles, on nommait Dieu de trois noms différents.

«Elle est là, dit doucement le marquis. Quelque part derrière ces murailles que je n'ai pas le droit de franchir.

— Pourquoi ça?

— Cela ne regarde que moi, mon garçon. Mais je te jure que, s'il m'était permis de le faire, l'horloge Deveraux serait à présent entre mes mains, et tu ne serais pas en train de t'inquiéter pour le futur de ta belle-mère.»

Jonathan contemplait la ville, qui semblait lui renvoyer une image somnolente, en rien menaçante. Il s'y était déjà promené et n'y avait rien trouvé de dangereux. Il fallait simplement qu'il y retourne et qu'il cherche une horloge. Rien de plus.

«Tu n'as pas beaucoup de temps, le pressa le marquis. Dépêche-toi ou il sera trop tard.»

Jonathan pensa à ces Chinois sans âme, sans conscience, qui bougeaient sans savoir ce qu'ils étaient; il se remémora le visage fantomatique de Marjorie qui l'appelait à l'aide depuis l'intérieur du globe, et il se rendit compte qu'il n'avait pas le choix.

Il se pencha vers son père et sa belle-mère et murmura : « Je reviendrai très vite, je vous le promets. »

Marjorie n'eut aucune réaction ; Bill lui lança un regard vitreux. Jonathan attendit un instant, mais son père ne dit rien. Il jeta de nouveau un coup d'œil circonspect vers le brouillard à l'intérieur du globe, mais le visage de Marjorie ne réapparut pas.

Il respira profondément, revint à la réalité, et, sans plus se retourner, abandonna la salle des six horloges extraordinaires.

Il traversa le musée, suivi de près par le marquis, au moment où toutes les horloges lui rappelaient qu'il était six heures et quart. Il ne prêta pas attention à Basilio qui montait la garde près de la porte, et ne dit pas un mot en sortant à l'air libre.

Il se sentit soulagé de quitter le vieux et sombre bâtiment. Le marquis resta sur le seuil et lui adressa un sourire étrange.

« Rappelle-toi, jeune homme. L'horloge Deveraux. »

L'horloge Deveraux... L'horloge Deveraux...

Ce nom demeura imprimé comme au fer rouge dans son esprit.

Jonathan prit une autre inspiration profonde et se mit en marche, décidé, vers la Cité Antique qui se découpait sur le ciel de l'autre côté du fleuve.

Le marquis le suivit des yeux en silence.

« Qu'en penses-tu, Basilio ? » demanda-t-il soudainement.

Le vieux majordome sursauta. Le marquis ne perdait pas de vue Jonathan, qui se dirigeait vers l'un des ponts menant à la Cité Antique.

«Vous... vous voulez parler du garçon?»

Le marquis acquiesça.

«Eh bien..., commença Basilio, hésitant. Il n'a pas tellement de possibilités, n'est-ce pas? Je veux dire... ce n'est pas si facile d'arriver là-bas, n'est-ce pas? Et même s'il y arrivait... pourquoi le traiteraient-ils différemment des autres?»

Le marquis ne dit rien. Il paraissait plongé dans de profondes réflexions. Au bout de quelques minutes, il hocha énergiquement la tête.

«Tu as raison, Basilio. Ce garçon ne le sait pas, mais si jamais il réussit à passer de l'autre côté... il lui faudra énormément de chance pour voir se lever un nouveau jour.»

Sur ces mots, le marquis fit demi-tour et rentra dans l'obscur bâtiment qui abritait le musée des horloges extraordinaires.

Basilio le suivit.

CHAPITRE 4

Les ruelles labyrinthiques serpentaient entre des maisons vétustes qui avaient vu passer de nombreuses générations d'êtres humains. Chaque recoin de la Cité Antique cachait une nouvelle surprise, mais Jonathan ne perdait pas son temps à les contempler. Au contraire, lorsque les cloches du couvent sonnèrent six heures et demie, il accéléra le pas.

Il marchait sans but. Il savait ce qu'il cherchait, mais n'avait pas la moindre idée de l'endroit par où commencer. Malgré tout, il devait se dépêcher : le temps jouait contre lui.

Il ralentit le pas dans une rue flanquée de toutes sortes de boutiques de souvenirs pour touristes, et examina les devantures. Il vit des produits de l'artisanat typique, plaqués d'or, finement ouvragés. Des figurines, de la vaisselle, de grandes épées espagnoles, des tableaux, des miroirs...

La plupart des objets étaient de fabrication récente, mais ici et là certains magasins contenaient d'authentiques antiquités. Jonathan aperçut une horloge en argent, et se demanda si c'était là ce qu'il cherchait. C'est alors qu'il se rendit compte qu'il n'avait pas la moindre idée de l'aspect de la fameuse horloge. Cadran solaire, sablier, horloge mécanique ? Montre à gousset, coucou, pendule, horloge de table ? Était-elle en vente quelque part ? Conservée dans un musée ? Appartenait-elle à un particulier ?

Jonathan maudit son manque de sens pratique. Il n'avait toujours été qu'un rêveur ; dans le monde réel, il était un désastre.

« J'aurais dû interroger le marquis, murmura-t-il pour lui-même. Il en savait certainement bien plus qu'il n'a voulu m'en dire. »

Il s'éloigna de la vitrine, abattu, et se demanda s'il avait le temps de retourner au musée pour demander des informations supplémentaires.

Il ne voulut pas regarder l'heure. Il prit rapidement le chemin du retour, empruntant l'itinéraire qui lui semblait le plus court, parcourant des ruelles ombragées qui conservaient un aspect vieillot, médiéval.

Tant et si bien qu'il se perdit. Au bout d'un long moment, il entendit des cloches sonner sept heures. Dans l'espoir d'échapper à ce labyrinthe, il se mit à courir.

Il déboucha bientôt dans une ruelle sans issue. Au fond de l'impasse se trouvait une petite place entourée d'arbres, avec en son centre une fontaine de pierre surmontée d'un dragon. Jonathan but quelques gorgées d'eau et se préparait à retourner sur ses pas, quand quelque chose attira son attention.

Il s'agissait d'un magasin, visiblement très ancien. Au-dessus de la porte, une enseigne usée proclamait :

Horlogerie Moser
Spécialisée dans la réparation et la restauration
d'horloges antiques depuis 1872

Le rythme du cœur de Jonathan s'accéléra.

Quand il poussa la porte, un tintement annonça sa visite. Jonathan regarda devant lui, en essayant d'ignorer le concert de tic-tac qui l'avait reçu et qui lui rappelait trop un autre endroit dans lequel il aurait voulu ne jamais avoir mis les pieds.

Il s'attendait à trouver une minuscule petite table couverte de pièces d'horlogerie minuscules, manipulées par un minuscule petit vieux qui, une loupe devant les yeux, serait en train de travailler sur le mécanisme de quelque montre centenaire. Mais la réalité était bien différente. Derrière le large comptoir sur lequel ne reposait qu'un ordinateur se trouvait un homme jeune et musclé. Rien ne ressemblait à l'idée que Jonathan se faisait d'une horlogerie fondée en 1872.

« Comment puis-je t'aider ? »

Jonathan hésita, puis s'approcha.

« Bonsoir », salua-t-il. Il savait que son espagnol était correct, mais n'ayant pas eu beaucoup l'occasion de le pratiquer, il craignait que son accent ne soit déplorable. « Je cherche une horloge antique. »

L'horloger sourit.

« Si tu veux parler de pièces de collection, elles sont très chères. Je peux te donner un catalogue, si tu veux te faire une idée.

– Oui, merci bien. »

Jonathan feuilleta le catalogue. La plupart des horloges dataient des XVIIIe, XIXe et début du XXe siècle. L'adolescent ignora les prix, exorbitants même pour quelqu'un de fortuné comme son père, et chercha au pied des photographies le nom que le marquis lui avait indiqué. Il se demanderait comment l'obtenir après l'avoir trouvé ; l'important était d'abord de le localiser.

Il ne le trouva pas. Il rendit le catalogue à l'horloger, le visage grave. Le sourire de ce dernier s'élargit.

« Je t'avais bien dit qu'elles étaient chères.

— L'horloge que je cherche ne figure pas là-dedans, expliqua Jonathan. En tout cas je ne l'ai pas vue. Le problème, c'est que je ne sais pas à quoi elle ressemble, ni de quelle époque elle date. Je sais juste son nom : l'horloge Daféro.

Jonathan répétait le nom comme il avait cru l'entendre de la bouche du marquis.

L'horloger le regarda, perplexe.

« Ça ne me dit rien, admit-il. Mais si elle est antique...

— Mon père collectionne les horloges, improvisa Jonathan. Moi, bien sûr, je ne pourrais pas l'acheter, mais lui si, et il les paie bien. Cela fait longtemps qu'il cherche cette horloge, et je voudrais lui faire une surprise et lui indiquer où il peut la trouver. Ce serait un beau cadeau d'anniversaire. Je sais qu'elle se trouve ici, dans cette ville. »

Il rougit légèrement, comme chaque fois qu'il se lançait dans un mensonge, mais l'horloger ne le remarqua pas. Il le regardait avec intérêt et curiosité.

« Comment dis-tu que cette horloge s'appelle ? Je n'en ai jamais entendu parler...

– L'horloge Daféro.

– Bon... je vais passer un coup de fil et je te réponds tout de suite.

– Merci beaucoup», dit Jonathan.

L'horloger pénétra dans l'arrière-boutique. Jonathan inspecta machinalement la pièce en attendant son retour, mais il baissa les yeux immédiatement. Il commençait à détester les horloges.

«Deveraux», dit une voix derrière lui, le faisant sursauter.

Jonathan se retourna rapidement. Il découvrit alors un vieillard assis parmi les horloges. Il se demanda comment il avait pu ne pas l'apercevoir plus tôt.

«Je vous demande pardon?

– Ton horloge s'appelle Deveraux, pas Daféro», expliqua lentement le vieillard. Son visage ridé se plissait encore davantage à chaque parole qu'il prononçait. «Ça s'écrit D-E-V-E-R-A-U-X.»

Le cœur de Jonathan cessa de battre pendant un court instant, puis se remit à cogner plus fort que jamais.

«Deveraux», répéta le garçon en faisant bien attention à prononcer le nom correctement. «Oui, c'est bien l'horloge que je cherche. Est-ce que vous connaissez...? essaya-t-il, mais il s'interrompit en voyant le vieillard secouer la tête.

– Ce n'est pas n'importe quelle horloge, non, monsieur. Nous autres, les vieux horlogers, en avons tous entendu parler, mais la jeune génération croit qu'il s'agit d'une légende... Ce que moi je sais, mais que mon petit-fils ignore, continua-t-il en indiquant de la tête la porte de l'arrière-boutique, c'est que tu ne trouveras mention de cette horloge dans aucun catalogue d'antiquités.

— Elle est ancienne, pourtant, non?

— Elle date du XVIIe siècle. Un véritable bijou, si j'en crois les textes qui y font référence. Mais cela fait trois siècles que personne ne l'a vue.»

Jonathan pâlit.

«On m'a dit qu'elle était dans cette ville.»

Le vieillard ricana sans bruit.

«Qui t'a dit ça? Ton père, le collectionneur d'horloges?»

Jonathan voulut répondre mais ne trouva rien à répliquer.

«Tu n'es pas le premier qui vient poser des questions au sujet de cette horloge, jeune homme, et je sais parfaitement qui t'envoie. Cela fait longtemps qu'il cherche à l'obtenir, tu sais. Mais ils savent bien cacher leurs secrets.

— Qui, *ils*?»

Le vieillard secoua de nouveau la tête.

«Il vaut mieux que tu ne le saches pas, fiston. Tu ne devrais pas te mêler de leurs affaires, cela ne fera que te poser des problèmes, tu comprends? Il vaut mieux fermer les yeux et faire comme si tu ne savais rien...

— Mais je ne peux pas!» Pour une raison mystérieuse, Jonathan avait le sentiment qu'il pouvait faire confiance au vieil horloger. «Ma belle-mère est en danger. Je n'ai que douze heures pour retrouver cette horloge.»

Le vieillard lui adressa un regard pénétrant, où Jonathan crut distinguer un peu de pitié.

«À ma connaissance, personne n'a jamais réussi à s'approcher d'eux, et encore moins de l'horloge Deveraux. Ils se cachent bien. Ils marchent parmi nous, ils nous ressemblent, mais ils ne sont pas comme nous. Il est même probable qu'ils savent déjà que tu es ici...

— Mais...

— Ils ne sont pas nombreux, et ils sont dispersés dans le monde entier, continua le vieillard, mais un petit groupe d'entre eux s'est installé il y a longtemps à l'intérieur de la Cité Antique. Les vieux le savent. Les jeunes aussi le savent, mais ils ne veulent pas y croire. Pourtant, c'est la vérité. Fais attention à toi, fiston. »

Jonathan se redressa. Il ne comprenait pas tout ce que lui disait le vieillard, mais quelque chose dans son expression sereine lui disait qu'il ne s'agissait pas de radotages séniles et qu'il était assez sensé pour ne pas affabuler à propos de choses sérieuses. Il se sentit inquiet. À aucun moment il n'avait songé que sa recherche de l'horloge pouvait lui causer des problèmes. Mais il se rassura en songeant que le vieillard exagérait peut-être.

« Il faut que je trouve cette horloge », asséna-t-il en fixant son interlocuteur.

Le vieillard ne prononça pas un mot et ne bougea pas pendant quelques longues minutes. Il paraissait changé en statue de sel.

« Bien, murmura-t-il finalement. Je t'aurai prévenu. Pour arriver jusqu'à l'horloge Deveraux, il faut d'abord arriver jusqu'à *eux*. Je ne connais qu'une seule personne qui y soit parvenue. Va voir Nico, à la synagogue.

— Nico ?

— Et dépêche-toi, ça ferme à sept heures et demie.

— Mais...

— Tu as entendu ce que j'ai dit? Dépêche-toi!»

Jonathan recula d'un pas, indécis. Il jeta un coup d'œil vers la porte menant à l'arrière-boutique, où on entendait le murmure étouffé de quelqu'un parlant au téléphone. Puis il regarda autour de lui, mais chaque horloge indiquait une heure différente. Il se retourna vers le vieillard.

«Merci pour tout», dit-il, puis il sortit en courant.

Quelques secondes plus tard, le jeune horloger était de retour.

«Écoute, on me dit qu'il n'y a...» Il inspecta la boutique, déconcerté. «Mais où est-il passé? Papy?»

Le vieillard somnolait sur sa chaise, ronflant doucement, entouré d'horloges, comme s'il avait été l'une d'entre elles. Son petit-fils secoua la tête et rangea le catalogue d'horloges de collection. Quelques instants plus tard, il était occupé à faire autre chose et il avait tout oublié du jeune garçon étranger qui lui avait demandé des informations sur une horloge Daféro.

Jonathan avait sorti un plan de son sac à dos et il courait à toute allure vers la synagogue. Il arriva à sept heures quarante. La porte de la synagogue était fermée. Le parvis était déjà désert, à l'exception d'un marchand de souvenirs occupé à ranger le contenu de sa petite boutique.

Jonathan sentit le désespoir l'envahir. Il avança jusqu'à la lourde porte en bois et chercha une sonnette, une cloche, un heurtoir, n'importe quoi, mais en vain. Désespéré, il cogna des deux poings contre la porte.

«Ouvrez-moi! S'il vous plaît, ouvrez la porte!

– Personne ne va t'ouvrir, tu sais, dit une voix derrière lui. Tout le monde est parti.»

Jonathan se retourna. Le marchand de souvenirs, un jeune homme noir, aux vêtements criards, l'observait avec curiosité.

«Mais... Mais il faut que... il faut que je rentre... pour prier.

– Ben voyons. Tu te fiches de moi, ou quoi? C'est un monument pour les touristes, ce truc, c'est tout! Les gens venaient peut-être prier ici il y a mille ans, mais ça fait un bail que c'est fini. D'où tu sors?»

Jonathan ne comprit pas tout ce qu'avait débité le marchand, mais tout au moins réalisa-t-il que ce dernier était surpris par son attitude. Abattu, il s'assit à côté de la porte. Il ne savait plus quoi faire. Sa seule piste venait de s'envoler en fumée ; le temps avait encore une fois gagné la partie.

«Hé, mon frère! Ce n'est pas un drame! Reviens demain, la synagogue ne va pas s'envoler dans la nuit!

– Demain il sera trop tard», répondit Jonathan d'une voix étouffée.

Mais il lui vint une idée.

«Tu es là tous les jours?

– Du matin au soir, confirma l'autre en repliant la bâche au-dessus de son étalage. Qu'il pleuve, qu'il neige ou qu'il vente. Je ne vends pas que des souvenirs, des tickets pour entrer dans la synagogue aussi. Je suis le premier à arriver et le dernier à m'en aller!

– Alors peut-être que tu connais la personne que je cherche, dit Jonathan, plein d'espoir. On m'a dit que je pourrais le rencontrer ici. Il s'appelle Nico.»

Le sourire du marchand s'évanouit.

«Qu'est-ce que tu lui veux?»

Jonathan ouvrit la bouche mais s'interrompit. Son histoire était trop incroyable, et le marchand ne se montrait plus aussi aimable. Pourtant, il semblait bien connaître ce Nico, et Jonathan ne pouvait pas se permettre de laisser passer une telle occasion.

«J'ai besoin de parler avec lui, reprit-il précautionneusement. J'ai un problème, et on m'a dit qu'il pourrait m'aider.»

L'autre garda le silence. Il termina de replier son étalage, puis s'approcha de Jonathan, très sérieux. Le garçon s'apprêtait à reculer, mais le marchand l'attrapa par le bras et s'assit à côté de lui.

«Attends, mon frère. Causons.»

Jonathan ouvrit des yeux ébahis.

«C'est toi, Nico?»

Le marchand sourit, découvrant une rangée de dents très blanches qui brillèrent dans son visage foncé.

«C'est comme ça qu'on m'appelle. Qu'est-ce qu'il y a de tellement important?

— Je... Je cherche une horloge. L'horloge Deveraux.»

Nico haussa les épaules.

«Je n'y connais rien, en horloges. Qui t'a raconté que je pouvais t'aider?»

Jonathan l'informa.

«Ce vieux bavard, soupira Nico. Je ne sais pas ce qui a pu lui faire croire que...

— Il dit que tu es le seul qui ait réussi à arriver jusqu'à *eux*.»

Sans prévenir, Nico se jeta sur Jonathan, lui ferma la

bouche d'une main tout en jetant des coups d'œil effrayés autour de lui. Il n'y avait personne d'autre sur le parvis, mais cela n'eut pas l'air de le tranquilliser.

« Mmmmpfff ! protesta l'adolescent.

– Chuuut, tais-toi ! Tu veux que le monde entier nous entende ? »

Jonathan, exaspéré, réussit à lui faire lâcher prise.

« Mais puisque nous sommes seuls !

– Silence ! T'es marteau, ou quoi ? *Ils* me cherchent, tu piges ? Depuis que j'ai passé la frontière de l'ombre, comme *eux*... Ils sont partout ! Ils pourraient être en train de nous observer en ce moment même !

– Il n'y a personne ici, tu vois bien ! Nous ne sommes que tous les deux. »

Nico se retourna vers lui, une lueur de suspicion dans le regard.

« Ah ah ! Alors ça veut dire que toi, tu pourrais être l'un d'entre eux !

– Tu es un peu paranoïaque, non ?

– Comment sais-tu que j'ai réussi à passer la frontière ?

– Mais je ne sais même pas de quoi tu es en train de parler ! L'horloger m'a dit de m'adresser à toi, et...

– Et comment est-ce qu'il le savait, l'horloger ? Tu... tu viens de là-bas ! »

Jonathan en avait assez de perdre son temps avec ce cinglé. Les cloches du couvent annoncèrent alors qu'il était huit heures. « Le chien, pensa-t-il, angoissé. Le chien est en train de s'incliner devant l'empereur sur l'horloge de Qu Sui. »

Il se leva d'un bond. Nico recula, terrorisé.

«Ne me fais pas de mal, je t'en supplie! pleurnicha-t-il. Je te promets que je ne mettrai plus jamais les pieds là-bas!

– Là-bas? Mais où?»

Nico s'était réfugié derrière son banc et continuait à gémir :

«Je te promets que je ne le ferai plus jamais! Tiens, regarde, je vais te la rendre, d'accord?»

Jonathan vit qu'il attrapait une boîte dissimulée sous le banc. Il était tellement nerveux que ses doigts n'arrivaient pas à la tenir fermement.

«Écoute..., commença Jonathan.

– Prends-la, et arrête de me tourmenter! Je n'ai plus rien qui vous appartienne, rien, rien, rien!»

Il lui lança quelque chose de brillant. Jonathan essaya de l'attraper au vol, mais l'objet lui glissa entre les doigts. Il le ramassa sur le sol.

Ce n'était qu'une vieille médaille dont les reliefs abîmés représentaient une sorte de symbole celte.

«Qu'est-ce que c'est?»

Il se tourna vers Nico, pour découvrir que ce dernier s'était envolé.

«Hé! Attends!» l'appela-t-il, mais personne ne lui répondit.

Jonathan soupira. Il mit la médaille dans sa poche et retourna s'asseoir sur les marches de la synagogue, abattu. La ville lui semblait soudain beaucoup plus obscure et menaçante qu'auparavant.

«Pourquoi l'horloger m'a-t-il envoyé voir un fou pareil?» se demanda-t-il.

Il n'était pas plus avancé qu'au début.

Bientôt il se leva et s'éloigna de la synagogue. Il tenta de retourner à l'horlogerie Moser, mais fut incapable de retrouver son chemin.

Il avança sans but jusqu'à ce que ses pas l'amènent à un belvédère au-dessus du fleuve. Depuis cet endroit, la vue était magnifique. De l'autre côté du cours d'eau, on distinguait des montagnes, des champs, et le monde paraissait immense et enchanteur. Jonathan contempla en silence le soleil se noyer derrière les montagnes.

Puis il fit volte-face et pénétra de nouveau à l'intérieur de la ville, avec l'impression que cette dernière l'entourait comme une énorme toile d'araignée.

La pénombre l'avala.

Non loin de là, on l'observait. Ils n'avaient aucune difficulté à voir ce qu'ils voulaient voir quelle que soit la distance, et ils étaient en train de suivre chacun de ses mouvements avec attention.

«Il est ici», déclara l'un d'eux d'une voix neutre.

Les autres acquiescèrent, comme si ces paroles étaient porteuses d'un sens beaucoup plus profond.

«Ce n'est qu'un enfant, objecta un autre.

– Est-ce pour autant qu'il ne représente aucun danger? interrogea une troisième voix, une voix féminine, froide et coupante comme la glace. Ne le sous-estimez pas juste à cause de son âge et de son manque d'expérience. Il est arrivé jusqu'ici, et vous savez tous qui l'envoie. C'est un intrus. Nous allons nous occuper de lui, comme nous l'avons fait pour les autres.»

Personne ne répliqua. Sous leurs yeux, Jonathan errait sans but dans les ruelles de la ville, alors que le dernier rayon de soleil disparaissait derrière les montagnes.

CHAPITRE 5

À la tombée du jour, la ville était sombre et menaçante, et des spirales de brume humide guettaient dans les coins, prêtes à prendre possession des rues dès l'arrivée de la nuit. Jonathan se sentait de plus en plus abattu. Tous les magasins étaient désormais fermés, et la ville semblait tout à coup solitaire et abandonnée. Les rues étaient silencieuses, désertes, mortes, et l'écho de ses pas sur le sol pavé résonnait comme un bruit d'outre-tombe.

Il s'arrêta soudain. Il crut avoir entendu un rire féminin non loin de là. Heureux de pouvoir enfin trouver quelqu'un à qui demander conseil dans cette cité vide, Jonathan accéléra l'allure et inspecta les alentours.

Mais, une fois de plus, la rue paraissait totalement déserte.

« Tu cherches quelqu'un, mon garçon ? »

La voix avait résonné tout près de lui, et Jonathan sursauta. En se retournant, il découvrit un homme appuyé contre un mur.

« Excusez-moi. Je ne vous ai pas entendu arriver. »

L'homme ébaucha un sourire de loup. Instinctivement,

Jonathan fit un pas en arrière. Cet individu était très étrange. Il avait l'air jeune, et pourtant ses cheveux étaient complètement gris. Il portait une redingote râpée de couleur foncée, et dans la pénombre, la lueur de ses yeux était comme rougeâtre.

«Qui êtes-vous?

– Cela dépend de toi, Jonathan», dit l'homme en s'écartant du mur.

Jonathan recula encore de quelques pas et l'examina avec méfiance.

«Comment connaissez-vous mon nom?»

L'inconnu eut un geste d'impatience.

«Voyons, voyons, Jonathan! Tu me déçois. Un garçon comme toi, qui possède suffisamment de courage et d'intelligence pour arriver jusqu'ici... et la seule chose qui te vient à l'esprit, c'est une question aussi banale?»

Jonathan ouvrit la bouche, mais resta muet.

«Mon nom n'a aucune importance, Jonathan, continua l'inconnu. Ce que je fais ici non plus. La seule chose qui nous intéresse en cet instant, c'est la fonction que je remplis. Je m'occupe de conclure des marchés.

– Des marchés? Vous êtes commerçant?»

L'étranger partit d'un rire guttural et sinistre.

«On peut dire ça comme ça. En fait, c'est très simple: je sais exactement qui tu es et ce que tu es venu faire ici. Et je suis disposé à t'offrir quelque chose.

– L'horloge Deveraux?»

L'inconnu inclina la tête sur le côté de manière inquiétante.

«Approche», ordonna-t-il, mais Jonathan resta où il

était. «Tout de suite», insista-t-il et cette fois ses yeux lancèrent de tels éclairs que Jonathan n'osa pas désobéir.

«Qu'est-ce... qu'est-ce que vous voulez?»

L'homme lui désigna la paume de sa main. Y apparut soudain un sablier dont les grains émettaient une douce lumière irisée qui illumina le visage de l'adolescent. L'inconnu fit tourner le sablier entre ses doigts, et Jonathan, fasciné, observa le sable chatoyant glisser dans son réceptacle de cristal.

«Qu'est-ce que c'est? chuchota-t-il.

– C'est une horloge. En apparence, un sablier un peu particulier. Mais mon cher garçon, sache que la Mort possède des milliards d'horloges, une pour chaque individu qui naît sur la Terre. Chacun de ces sabliers contient une quantité déterminée de sable. Quand le sable de l'un d'entre eux cesse de couler, la Mort va chercher la personne dont la vie vient de se terminer. Ce que je t'offre, Jonathan, ce n'est ni plus ni moins que l'horloge de ta propre vie. Tant que tu seras en possession de ce sablier et que tu feras en sorte que le sable coule, la Mort ne pourra pas t'emmener. Penses-y: je suis en train de t'offrir l'immortalité.»

Jonathan secoua la tête, se libérant de l'envoûtement provoqué par le sable luminescent, et il dévisagea l'homme, un peu effrayé.

«Vous êtes fou.»

L'inconnu soupira, résigné.

«Tant pis», dit-il, et le sablier disparut.

Jonathan ressentit immédiatement une sensation de vide, de solitude.

«Attendez!» cria-t-il sans réfléchir. Le sablier apparut

alors de nouveau dans la main de l'étranger, illuminant de son rayonnement perturbant le visage du garçon. «L'immortalité, vous avez dit? Et que voulez-vous en échange?

– C'est bien simple.» Ses doigts jouaient de nouveau avec le sablier ensorcelant, envoûtant, et le sable iridescent glissait contre le cristal. Jonathan n'avait aucun mal à imaginer qu'il était formé de milliers de minuscules particules de vie. «Une horloge contre une autre. Je te donne cette merveille, et toi tu oublies pour toujours l'horloge Deveraux, et tu me remets la Porte.»

Jonathan ne comprit pas les derniers mots, mais il avait en revanche parfaitement saisi ce qu'on attendait de lui.

«Mais je ne peux pas faire ça! Ma belle-mère...

– Quel dommage», répliqua l'autre d'une voix monocorde, cachant une fois de plus de ses doigts le sablier.

Jonathan se sentit envahi par la fureur.

«Mais qu'est-ce que c'est que cette histoire? Je vous interdis de jouer avec moi! Vous me croyez capable de m'en aller et de laisser tomber Marjorie en échange d'un joli sablier coloré? Pour qui me prenez-vous?

– Je vois. Tu es jeune, je comprends, c'est normal. Mais tu sais, les gens ont en général une peur panique de la Mort. Ce n'est pas sa faute, bien sûr, elle se contente de faire son travail. Mais vous mortels vous accrochez désespérément à la vie, surtout quand la vieillesse et la maladie menacent de vous précipiter entre les bras de cette Dame. Imagine-toi, Jonathan, dans quelques dizaines d'années. Vieux, malade, seul. Tu n'arrives pas à voir si loin? Bien, alors imagine que ton corps contient dès à présent, sans que tu le saches, les germes d'une maladie incurable. Que ferais-tu si un médecin te disait que tu vas mourir demain? Oh, non, inutile de parler, je connais la réponse! Tu me chercherais, désespéré, tu invoquerais mon nom, tu me supplierais de t'offrir à nouveau ce sablier précieux... N'est-ce pas vrai?»

Jonathan tremblait. Son esprit n'avait que trop clairement imaginé les situations que l'inconnu lui avait décrites. L'espace d'un instant, il avait vraiment cru mourir le lendemain.

Le sablier revint encore une fois entre les doigts de son interlocuteur.

«Alors? Tu le veux?»

Jonathan ne répondit pas.

«Tu le veux, affirma l'inconnu. Bien. Il ne te sera pas difficile de l'obtenir. Donne-moi la Porte, fais demi-tour et quitte la Cité Antique. Marche sans t'arrêter, marche sans regarder en arrière. À l'aube, le sablier sera à toi. Et il restera entre tes mains aussi longtemps que nous serons bons amis. Tu m'as compris?»

Jonathan frémit.

«Je n'en suis pas sûr. Que voulez-vous dire par "bons amis"?»

L'inconnu eut un sourire inquiétant.

«Oh, rien de très compromettant. Je te demanderai juste de me rendre un ou deux services, de temps en temps...»

Sans savoir pourquoi, Jonathan n'osa pas lui demander de spécifier de quel genre de services il s'agissait.

«Comment puis-je savoir que vous n'êtes pas en train

d'essayer de me tromper ? Comment pouvez-vous me prouver qu'il s'agit réellement de l'horloge de ma vie ?

– La tromperie est dans ma nature, Jonathan, mais je tiens toujours mes promesses. D'ailleurs, tu n'as pas besoin de preuve : tu sais que c'est vrai. »

Jonathan se perdit encore une fois dans la contemplation du sablier. Il le sentait palpiter au rythme de son propre cœur, et il comprit que, sans le moindre doute possible, si incroyable que cela puisse paraître, l'homme lui disait la vérité. Les yeux fixés sur le sablier, il imagina ce que représenterait une vie éternelle. Il pourrait assister aux progrès de l'humanité. Il s'était toujours demandé comment serait le monde dans cent, deux cents, mille ans. Il avait toujours voulu disposer de suffisamment de temps pour parcourir la terre d'un bout à l'autre, pour lire tous les livres qui existaient.

Et pourtant, il y avait dans cet individu quelque chose de trop inquiétant pour qu'on puisse lui faire confiance. Au cours des dernières minutes, une vague réminiscence était née aux limites de sa conscience, depuis que l'inconnu avait prononcé le mot « immortalité ». Le souvenir lui revint soudain pleinement à la mémoire : Les paroles du marquis.

« Ce sablier fait partie d'un pacte sinistre. Un jour, un homme vendit son âme au diable en échange de l'immortalité. On lui remit ce sablier mesurant la durée de sa vie. Tant que le sable s'écoulerait, l'homme vivrait ; quand cela cesserait, il mourrait. La seule chose que l'homme avait à faire était de le retourner, encore et toujours, jusqu'à ce qu'il se lasse de l'immortalité. »

Jonathan comprenait à présent bien des choses. Il leva la tête et se mit à fixer l'inconnu.

« Qui êtes-vous ?

– Quelle importance ? Ce qui compte, Jonathan, c'est ce que je suis en train de t'offrir. »

Jonathan recula d'un pas.

« Allez-vous-en ! Je ne veux rien avoir à faire avec vous ! »

L'étranger soupira et haussa les épaules. Le sablier disparut définitivement.

« C'est toi qui l'auras voulu, dit-il. Tant pis pour toi. »

Quelque chose dans son expression alarma Jonathan, ce qui le sauva, car, lorsque l'inconnu bondit sur lui avec un hurlement sinistre, l'adolescent avait déjà fait demi-tour et courait à toutes jambes.

Mais, alors qu'il se retournait, il avait pu apercevoir l'effrayante métamorphose de l'homme, devenu à présent un horrible démon dont les yeux brillaient comme des charbons ardents. Ce démon était à ses trousses, ses ailes membraneuses déployées, sa longue queue fouettant l'air.

Jonathan ne jeta pas un regard derrière lui. Désespéré, il courut, courut, courut. Un battement d'ailes tout proche lui fit comprendre que le démon était sur le point de le rattraper.

Il déboucha alors sur une place au fond de laquelle se trouvait une porte imposante de style gothique. Celle-ci semblait toucher les premières étoiles, mais Jonathan ne s'attarda pas à l'étudier. La porte était entrouverte, et un rayon de lumière filtrait à travers cet entrebâillement.

Dans un dernier effort, Jonathan essaya d'atteindre la porte. Le temps qu'il mit à traverser la place lui parut infini.

Quand, avec un hurlement glaçant, le démon tomba sur son dos et le projeta en avant, Jonathan heurta la porte de bois et fut précipité à l'intérieur de l'édifice.

Le démon disparut aussitôt.

L'adolescent mit quelques minutes avant d'oser ouvrir les yeux, ahuri de se trouver indemne.

En regardant autour de lui, il comprit pourquoi.

La porte qui venait de céder sous sa poussée était l'entrée principale de la cathédrale.

Jonathan aurait pu s'étonner qu'elle soit encore ouverte à une heure aussi tardive, mais il avait vécu tant de choses extraordinaires en un temps si restreint que cela ne lui traversa même pas l'esprit. Haletant, il pénétra plus avant dans l'église. Immédiatement, il se vit baigné par la chaude lumière des cierges, et le silence du lieu l'enveloppa, réconfortant. Peu à peu, il réussit à chasser la terreur qui s'était emparée de lui, collant à sa peau, étreignant son cœur. Quelle que soit la nature de l'être qui l'avait attaqué, il n'osait visiblement pas le pourchasser jusqu'ici.

Jonathan n'avait jamais été très religieux, mais il avança jusqu'à l'un des bancs et s'assit.

Quand les battements de son cœur retrouvèrent leur rythme habituel, il inspecta les alentours. La cathédrale était immense et vide. Son toit, soutenu par des poutres entrecroisées, était si haut qu'il se perdait dans la pénombre. D'énormes colonnes parcouraient la nef centrale et conduisaient jusqu'à l'autel le fidèle qui entrait en ces lieux à la recherche de Dieu.

Jonathan soupira presque imperceptiblement. En continuant son examen, il aperçut bientôt une note de couleur dans l'un des rangs les plus proches de l'autel, et découvrit qu'il n'était pas seul. La personne qui priait agenouillée portait une salopette en jean sur une chemisette à rayures. Ses cheveux roux étaient répartis en deux tresses qui lui retombaient sur les épaules.

Jonathan ne pouvait pas voir son visage, mais elle avait l'air très jeune, probablement encore une enfant. « Je devrais peut-être faire comme elle, se dit-il. Je devrais peut-être prier, en espérant que quelqu'un m'entendra, prier pour que nous sortions tous vivants de cette histoire de fous. »

Mais il ne bougea pas. Il se contenta de fermer les yeux et de cacher son visage dans ses mains. « Que dois-je faire maintenant ? Où chercher ? Et comment me défendre de ce démon ? »

Il sentit soudain le poids d'une main sur son épaule, et il tressaillit. Il leva les yeux et vit à ses côtés la fille qu'il avait vue de loin. Elle était plus âgée qu'il ne l'avait supposé ; elle devait avoir son âge, malgré sa tenue enfantine. Autour de ses cheveux roux était passé un bandeau aux couleurs criardes. À la lumière des cierges, ses yeux avaient une nuance indéfinie.

« L'église va fermer », lui chuchota-t-elle.

Jonathan ne fit pas un geste. La panique l'inonda à nouveau. S'il sortait de la cathédrale, rien n'empêcherait le démon de l'attaquer à nouveau.

« Tu as entendu ? insista la jeune fille. Ou peut-être ne parles-tu pas ma langue ?

— Je ne veux pas sortir », répondit Jonathan.

Il se rendit compte immédiatement de ce que ses paroles

avaient de stupide. Dans ce lieu, le démon semblait lointain et irréel, et il savait que son interlocutrice n'allait pas le croire s'il tentait de lui expliquer tout ce qu'il venait de vivre.

« Ça m'étonnerait qu'on t'autorise à passer la nuit ici, tu sais ? »

À contrecœur, Jonathan fit un signe d'assentiment et se leva en silence. Ils sortirent ensemble de la cathédrale.

De retour sur la place, Jonathan n'osa pas s'éloigner du seuil de l'église. La porte claqua derrière lui, le faisant sursauter. Il faisait presque nuit déjà. Abattu, il s'assit à même le sol et laissa tomber sa tête.

« Tout va bien ? » demanda sa compagne.

Elle s'était accroupie à côté de lui, et le regardait avec curiosité, la tête penchée sur le côté, les yeux grands ouverts, dans une attitude très enfantine.

« On m'appelle Emma, se présenta-t-elle. Tu n'es pas d'ici, n'est-ce pas ? Tu t'es perdu ?

— Non... Enfin, si... je ne sais pas.

— Comment ça, tu ne le sais pas ? Où veux-tu aller ? Je connais la ville comme la paume de ma main, affirma-t-elle en souriant. Je peux t'emmener où tu veux en un rien de temps.

— Si je savais où aller, ce serait formidable, répondit Jonathan de mauvaise humeur. Mais le fait est qu'il faut que je trouve quelque chose et que je ne sais même pas où chercher. Sans compter... »

Il se tut. Il ne voulait pas parler du démon.

Le sourire d'Emma s'élargit.

«Alors je sais qui peut t'aider!»

Jonathan lui adressa un regard interrogatif, mais elle n'ajouta rien de plus. Elle se leva d'un bond et s'éloigna de quelques pas, puis lança :

«Qu'est-ce que tu attends? Viens vite!

– Où?»

Emma eut un charmant geste de contrariété.

«Je viens de te le dire!»

Jonathan ouvrit la bouche pour répliquer, mais elle le prit par la main sans prévenir et le tira pour qu'il se redresse.

«Hé! Qu'est-ce que tu fais?

– Allez, dépêche-toi, il va bientôt faire nuit! Si nous ne nous dépêchons pas, elle changera d'endroit, et ce sera difficile de la trouver.

– Mais qui?

– Elle! La femme qui connaît les réponses à toutes les questions!» Elle sourit à nouveau et l'observa d'un air amusé. «Enfin, disons presque toutes. Mais si tu n'as pas la moindre idée de l'endroit où chercher, ça ne te coûte rien d'essayer, pas vrai?»

Jonathan réfléchit rapidement. Quelque part dans la nuit se cachait un démon qui lui voulait du mal. D'un autre côté, il avait justement repoussé son offre pour pouvoir continuer ses recherches, et il ne gagnerait rien à rester dans l'ombre de la cathédrale à écouter sonner les heures les unes après les autres, tandis que l'horloge de Qu Sui absorbait lentement l'âme de Marjorie. Par ailleurs, même si ce dernier argument ne lui paraissait pas très reluisant, Jonathan devait admettre que, quitte à s'éloigner de la cathédrale et à plonger dans l'obscurité, il aimait autant le faire accompagné.

«D'accord, allons-y», céda-t-il finalement en haussant les épaules.

Et Jonathan recommença à arpenter les ruelles sombres et labyrinthiques de la ville derrière la silhouette colorée d'Emma.

Pensif, le marquis parcourait le musée des Horloges. Plusieurs fois par jour, il les examinait toutes une par une afin de s'assurer qu'elles fonctionnaient parfaitement et que pas un mécanisme n'était recouvert par le moindre grain de poussière. C'était une corvée longue et fastidieuse, mais le marquis l'entreprenait jour après jour avec le même enthousiasme. Il fit une halte au centre de la salle.

Il était presque dix heures.

Basilio entra dans la pièce. Le marquis le vit, mais ne lui prêta pas attention. Le vieux majordome attendit près de la porte.

Les horloges sonnèrent dix heures.

Une fois de plus, un chœur assourdissant de sonneries et de coucous emplit la salle. Le marquis pencha la tête, les yeux clos, et écouta, extasié. Basilio attendait.

Quand le bruit eut cessé, le marquis ouvrit les yeux et murmura :

«Sais-tu pourquoi j'aime les horloges, Basilio?»

Le majordome le savait parfaitement, mais il se tut : il savait aussi que le marquis aimait répondre lui-même à cette question.

«J'aime les horloges parce qu'elles me rappellent l'existence du temps.»

Basilio détourna le regard. Le marquis revint à la réalité. Il se tourna, enfin attentif, vers le majordome. Ce dernier se racla la gorge.

«Monsieur le marquis, M. Hadley désire s'entretenir avec vous.»

Le Marquis ricana.

«Hadley? Tu veux dire qu'il s'est lassé de pleurnicher?»

Basilio toussota et fit un pas de côté. Bill Hadley, pâle, le visage fermé, apparut derrière lui.

«Marquis, demanda-t-il, où est mon fils?

– Vous avez mis remarquablement longtemps à vous apercevoir de son absence! Votre fils est allé chercher quelque chose pour moi. La seule chose capable de sauver l'âme de votre épouse.»

Bill ouvrit la bouche. Il sembla sur le point d'émettre l'une de ses assertions habituelles, mais il se ravisa et demanda, avec autant de politesse qu'il était capable d'en montrer :

«Et, heu... est-ce que vous croyez que ça va lui prendre longtemps... monsieur le marquis?»

Le marquis eut un léger sourire.

«Il doit revenir au plus tard avant le lever du soleil. Dans le cas contraire, je crains qu'il ne soit trop tard pour l'âme de Marjorie.»

Il observa le progrès de l'angoisse sur le visage de Bill Hadley tandis que ce dernier assimilait cette information.

«Qu'est-ce... qu'est-ce qu'il doit rapporter?»

Le marquis sourit encore une fois.

« Une horloge. Non, ne me regardez pas comme ça. C'est une horloge qui a volé l'âme de votre épouse, il n'est donc pas absurde d'admettre qu'une horloge puisse la lui rendre. Venez avec moi : je vais vous expliquer tout cela calmement, maintenant que je vous vois disposé à m'écouter. Par la même occasion, nous pourrons juger de comment le jeune Jonathan se débrouille dans la Cité Antique. »

Bill suivit le marquis jusqu'à la pièce consacrée aux horloges extraordinaires. Marjorie était toujours inconsciente, dans la position exacte où son mari l'avait laissée. Sur l'horloge de Qu Sui, la figurine représentant le sanglier s'éloignait lentement de l'empereur.

Le marquis fit une halte, et Bill fut sur le point de le heurter. Il recula de plusieurs mètres en réalisant qu'il venait de s'arrêter devant l'horloge de Barun-Urt.

« Vous faites fort bien de vous méfier, dit le marquis avec un rire bref. Mais ne vous éloignez pas trop, ou vous n'allez rien voir. »

Bill voulut répliquer, mais se rendit bientôt compte que le marquis fixait le cadran de l'horloge.

« Qu'est-ce que vous faites ? Pourquoi est-ce que...

– L'horloge de Barun-Urt est une fenêtre ouverte sur l'espace-temps. Moi-même, je n'ai pas encore découvert toutes ses possibilités, mais je ne crois pas qu'elle ait la moindre difficulté à accéder à une demande aussi modeste que de nous montrer le présent d'un adolescent qui se trouve tout près de nous, de l'autre côté du fleuve. »

Au fur et à mesure qu'il parlait, quelque chose d'étrange se passait sur le cadran de l'horloge, qui changea de couleur à plusieurs reprises. Les chiffres et les aiguilles s'estompèrent peu à peu, puis disparurent complètement, pour laisser place à une sorte d'écran circulaire sur lequel apparut une image de plus en plus nette.

Bill déglutit avec difficulté.

Le cadran de l'horloge montrait deux adolescents en train de marcher sous les étoiles à travers d'humides rues pavées. L'un des deux était Jonathan.

«C'est... c'est mon fils!

– Le petit malin a réussi à passer», murmura le marquis avec un étrange sourire de satisfaction. «Il est plus intelligent que je ne le croyais.

– Et elle, c'est qui?» demanda Hadley.

Les yeux du marquis se fixèrent sur Emma qui fut parcourue d'un frisson presque imperceptible, comme si elle avait senti son regard.

CHAPITRE 6

Jonathan cessa de marcher et regarda autour de lui, complètement perdu. Les rues étaient totalement obscures, et il se demanda s'il était normal qu'il n'y ait pas le moindre réverbère dans ce quartier. Emma se retourna.

« Qu'est-ce qu'il y a ?

— Dis, hasarda Jonathan, toutes les rues se ressemblent. Tu es absolument certaine de savoir où tu vas ? »

Elle revint près de lui, les yeux étincelants. Apparemment, il l'avait vexée.

« Évidemment. Cela fait très longtemps que je vis ici, je te l'ai déjà dit. Qu'est-ce qui t'arrive ? Tu n'as pas confiance en moi ?

— Ce n'est pas ça. » Au contraire, pensa-t-il, Emma était la seule personne à peu près normale qu'il ait rencontrée dans la Cité Antique. « Mais j'ai l'impression d'être passé plusieurs fois au même endroit. »

Emma partit d'un rire joyeux.

« Toutes les rues se ressemblent, tu l'as dit toi-même. Sans compter que cette partie de la ville n'est pas éclairée.

Les étrangers s'y perdent très facilement. Mais ne t'inquiète pas, nous sommes presque arrivés. Tu vois la lumière, un peu plus loin? C'est là.»

À quelques dizaines de mètres, une lueur violacée illuminait la ruelle. En s'approchant, Jonathan vit que la lumière provenait d'un soupirail. Il voulut jeter un coup d'œil par l'ouverture, mais Emma le tira jusqu'à une volée de marches qui descendaient jusqu'à un sous-sol. En bas, dans une semi-obscurité, les attendait une petite porte autour de laquelle flottait une odeur intense qui rappelait celle de l'herbe mouillée.

«Lierre, laisse-nous passer», dit Emma.

Quelque chose bougea près de la porte. Ce n'est qu'alors que Jonathan se rendit compte que par terre, près du seuil, se tenait une femme minuscule et toute ridée, vêtue d'étranges guenilles de couleur verte.

«Qui est là?» demanda-t-elle d'une voix éteinte. «Oh! se reprit-elle en reconnaissant Emma. Excuse-moi.»

Elle se rangea rapidement sur le côté, et l'odeur d'herbe mouillée la suivit. Un rayon de lune éclaira son visage, et Jonathan eut l'impression que sa peau était d'une teinte presque verdâtre.

«Vous êtes venus la voir? demanda Lierre.

– Peut-elle nous recevoir? s'assura Emma.

– Tu sais bien que oui.» Ses yeux brillants se posèrent sur Jonathan qui recula, mal à l'aise. «Et lui?

– Il est avec moi», répliqua Emma, comme si cela expliquait tout.

Sans objection, Lierre se leva pesamment et monta avec

lenteur l'escalier menant à la rue, enroulant ses hardes autour d'elle. Emma attendit patiemment qu'elle s'éloigne. Lorsque Lierre eut disparu dans l'obscurité, l'odeur disparut avec elle.

« Bon. On y va ? » proposa Emma.

Elle ouvrit la porte et pénétra dans l'obscur vestibule qui s'ouvrait à elle. Jonathan la suivit.

« Heu… Emma ?

– Oui ?

– Cette femme…

– Qui, Lierre ?

– Oui… elle est un peu… bizarre, non ?

– Ne fais pas attention à elle, elle n'est pas méchante. Un peu déboussolée, c'est tout. Son bois a été détruit, tu comprends ? On a coupé les arbres, il y a eu des incendies, et tout ça. Elle s'est réfugiée ici, mais elle sait bien qu'elle ne peut pas y rester éternellement. Le problème, c'est qu'elle a peur de chercher un autre bois, au cas où cela se reproduirait.

– Ah, d'accord, murmura Jonathan. Je vois. »

À la réflexion, cependant, il ne comprenait pas grand-chose à cette histoire. Il aurait voulu poser d'autres questions, mais Emma continuait à avancer, et il ne lui resta plus qu'à la suivre.

Le vestibule menait dans une petite salle au plafond bas, illuminée par la lumière violacée que Jonathan avait remarquée dans la rue, et qui provenait de plusieurs bougies à la flamme bleue éparpillées dans la pièce. D'épais tapis recouvraient le sol, et des tapisseries aux dessins compliqués décoraient les parois. Pour uniques meubles, une petite table ronde couverte d'une nappe de velours, et trois tabourets. Sur l'un d'eux était assise une femme dont il était impossible de distinguer le visage dans la semi-obscurité.

«Bonsoir, la salua Emma, poliment.

– Bonsoir, répondit la femme d'une voix douce. Approchez, et prenez place.»

Ils s'exécutèrent. Quand tous deux se furent assis devant la table, Emma prit la parole :

«Ce garçon cherche quelque chose. Est-ce que tu peux l'aider?»

La femme garda le silence, mais elle se pencha légèrement en avant pour mieux le voir, et Jonathan put à son tour l'examiner. Dans son visage ovale brillaient deux yeux légèrement bridés. Ses cheveux, très courts, étaient violets, comme la lumière des bougies.

«Pouvez-vous vraiment m'aider?

– Je peux te dire qui tu es, d'où tu viens et où tu vas, répondit la femme. Je ne sais pas si cela te sera utile.»

Jonathan haussa les épaules.

«Je cherche une horloge. On l'appelle l'horloge Deveraux. Il faut absolument que je la trouve d'ici le lever du soleil. Je sais que ça a l'air fou, mais si vous pouviez me lancer sur une piste quelconque…»

Jonathan se tut en s'apercevant que la femme ne l'écoutait pas. Cela l'agaça tout d'abord, puis il se rendit compte qu'elle se concentrait sur quelque chose qu'elle tenait entre les mains, et il l'observa avec curiosité.

Elle battit un jeu de cartes et le déposa devant lui.

«Coupe», lui ordonna-t-elle laconiquement.

Sans réfléchir, Jonathan obéit. La femme reprit alors les cartes et commença à les disposer sur la table. Il s'agissait d'un jeu de tarot.

« Qu'est-ce que... Qu'est-ce que vous êtes en train de faire ? »

Sans prêter attention à son ton indigné, la femme continua à étaler les cartes.

« Vous allez lire mon futur dans un jeu de cartes ?! cria presque Jonathan. Je suis en train de risquer ma vie à chercher une horloge, et la seule chose que vous trouvez à faire pour m'aider, c'est me tirer les cartes ? »

Emma attrapa fermement Jonathan par le bras.

« Arrête, Jonathan. Tu vas la vexer. »

Mais la femme ne paraissait nullement offensée. Elle ne prêtait attention qu'aux cartes disposées devant elle.

« Je n'arrive pas à y croire, lâcha Jonathan avec mépris, d'un ton assez proche de celui si souvent employé par son père. Tu m'as emmenée voir une diseuse de bonne aventure !

– La Tireuse de Cartes est bien plus qu'une diseuse de bonne aventure, rétorqua Emma. Tu sais, il y a eu une époque où personne n'aurait osé prendre une décision importante sans consulter auparavant une sibylle ou une prophétesse. »

Jonathan ouvrit la bouche pour répliquer, mais la Tireuse de Cartes leva une main pour demander le silence, sans pour autant quitter la table des yeux. Jonathan eut un soupir d'impatience.

« Perdu, et sans but, dit soudain la femme.

– Pardon ? »

Mais elle continuait à se concentrer sur les cartes. Il y en avait neuf, disposées de manière à former une croix. La carte se trouvant à l'intersection des deux bras de la croix représentait un bouffon, un baluchon sur l'épaule.

« C'est le Mat, le Fou », déclara Emma. Elle s'adressa à la Tireuse de Cartes. « C'est le Fou qui est perdu, n'est-ce pas ? »

La femme acquiesça.

« Il s'agit d'un être qui ne semble pas vivre dans la réalité ; un être que personne ne prend au sérieux, et qui erre d'un endroit à l'autre sans savoir ce qu'il cherche, ni où il veut arriver. »

Elle leva la tête, et ses yeux, d'une étrange teinte violette (un reflet de la lumière ?) se fixèrent sur Jonathan.

« Le Fou, c'est toi, mon garçon.

– Moi, je sais ce que je cherche, protesta l'adolescent.

– Tu crois le savoir, corrigea la femme. Mais en réalité tu ne le sais pas. Et tu erres d'un endroit à l'autre… Mais ce n'est pas tout. »

Elle recommença à étudier les cartes.

« Un homme puissant et dominateur contrôle ton passé récent.

– L'Empereur ! » murmura Emma.

Elle montra à Jonathan la première carte du bras horizontal de la croix, qui représentait un monarque, avec sceptre et couronne.

Malgré lui, Jonathan ne put s'empêcher de penser au marquis. Il étudia les cartes avec attention et frémit en découvrant celle qui se trouvait entre l'Empereur et le Fou.

Il s'agissait du Diable.

Il secoua la tête. Il ne pouvait s'agir que d'une coïncidence.

La Tireuse de Cartes était toujours penchée sur la table, image même de la concentration.

«Le présent du Fou n'est pas favorable, affirma-t-elle. Le Mal tourne autour de toi. Et quelqu'un cherche à te confondre et à te tromper.

— Le Diable? s'enquit Emma, fascinée. Ah, non, je vois, c'est la Lune! Regarde, Jonathan, elle est juste au-dessus de ta tête!»

Elle désigna du doigt une carte qui se trouvait au-dessus de celle du Fou. Sur les toits d'une ville, deux chiens hurlaient à la Lune, qui les observait, impassible.

«La Lune change, varie, se montre et se cache, reprit la Tireuse de Cartes en acquiesçant. La Lune est trompeuse. Elle est en grande partie responsable de la confusion du Fou.

— La Lune, répéta Jonathan, ironique.

— La Lune est très belle», continua la Tireuse de Cartes, imperturbable. Soit elle n'avait pas perçu le scepticisme de Jonathan, soit elle n'en avait cure, soit elle cachait bien son agacement. «C'est un guide très peu fiable. Tous les voyageurs savent que ce sont les étoiles qu'il faut suivre pour arriver à bon port», ajouta-t-elle en posant les yeux sur Emma.

La jeune fille paraissait ne pas l'avoir entendue. Elle ne détachait pas les yeux de l'une des cartes, la fixant avec inquiétude.

«Tireuse de Cartes, et ça, qui est-ce?» demanda-t-elle

en désignant la figure qui se trouvait juste au-dessous du Fou. «Ce n'est pas la Mort, n'est-ce pas?»

La cartomancienne fit signe que si, sans prononcer un seul mot. La carte représentait un squelette armé d'une faux. Un silence tendu s'était installé autour de la table, et Jonathan voulut plaisanter pour détendre l'atmosphère.

«Eh bien, tant qu'à faire je préfère avoir la Mort à mes pieds plutôt qu'au-dessus de ma tête!

— Quoi qu'il en soit, prends bien garde à toi, jeune homme, dit la Tireuse de Cartes. La Mort, la Lune et le Diable tournent autour du Fou cette nuit. Et ce ne sont pas de bons compagnons.»

Jonathan jeta un coup d'œil à Emma et constata avec surprise que cette dernière avait l'air très impressionnée. Elle avait même pâli.

«Eh, qu'est-ce qui t'arrive? Tu ne crois quand même pas que je vais mourir cette nuit, n'est-ce pas?»

Alors même qu'il prononçait ces paroles, le démon lui revint en mémoire. Il frissonna.

Emma tenta de faire bonne figure et dédia à Jonathan un sourire que ce dernier trouva adorable.

«Excuse-moi, mais moi je n'ai jamais eu cette carte. C'est pour ça que j'ai été un peu secouée de la voir.

— Oublions-la, décida Jonathan. Mais les autres cartes, que signifient-elles? Celles de la rangée verticale représentent mon présent, n'est-ce pas? Et ce type, là, de qui s'agit-il?»

Il pointait du doigt la carte qui se trouvait au-dessous de la Mort, et qui représentait un homme attaché à une corde, tête en bas.

«Le Pendu est un être qui essaie d'avancer, mais qui n'y parvient pas en raison d'une affaire non réglée, répondit la cartomancienne. Une personne prisonnière dans un endroit et un moment qui ne sont pas siens. Il ne réussira à poursuivre son chemin que lorsqu'il aura trouvé la solution à son problème. Le Pendu est un autre de ces êtres qui peuplent le présent du Fou.»

Jonathan ne comprenait pas ce qu'il avait à faire avec le Pendu, mais Emma avait déjà concentré son attention sur la dernière carte de la rangée verticale. Elle représentait un homme devant une table, en train de manipuler plusieurs objets.

«Le Bateleur. Il a une influence positive, c'est bien ça?

— La carte est à l'extrême opposé de celle de la Lune, murmura la cartomancienne. Et même si la Lune est plus proche du Fou, le Bateleur peut, lui aussi, utiliser son pouvoir sur ce dernier.

— Mais qui est-ce, exactement, ce Bateleur? demanda Jonathan.

— C'est un homme qui travaille, et qui fait des merveilles. Le Bateleur a trouvé des réponses dans son cœur et il les applique au monde réel, inventant des objets extraordinaires qui prouvent sa fascination pour les mystères qui nous entourent. Le Bateleur est l'un des seuls êtres qui puissent montrer au Fou son véritable chemin.»

La Tireuse de Cartes se tut. Jonathan se racla la gorge :

«Si c'est ça, mon futur, alors je suis désolé mais vous ne m'avez pas tellement éclairé. Moi j'aurais juste voulu savoir...

– Non, l'interrompit Emma. L'Empereur et le Diable appartiennent à ton récent passé. La Lune, la Mort, le Pendu et le Bateleur tournent autour de ton présent. Mais ce sont ces deux dernières cartes – elle montra le bras droit de la croix – qui parlent de ton avenir. »

Jonathan jeta un coup d'œil à la Tireuse de Cartes, mais celle-ci ne semblait pas gênée par les interventions d'Emma. Il se pencha sur la table avec curiosité. Immédiatement à la droite du Fou se trouvait un groupe de personnes qui avaient l'air de se réveiller en entendant un ange descendant du ciel jouer de la trompette. La carte suivante montrait un vieil homme habillé d'une tunique, comme un moine ou un sage, et brandissant une lanterne.

« Le Jugement et l'Ermite, commenta Emma.

– Ton futur est marqué par un éveil, un changement, expliqua la cartomancienne. Une prise de conscience, et en même temps une décision qui peut affecter de manière importante le destin du Fou... en bien ou en mal.

– Formidable, lança Jonathan sans enthousiasme.

– La bonne décision, continua la Tireuse de Cartes de sa voix douce, semblable au ronronnement d'un chat, peut te conduire vers une personne qui possède les réponses à tes questions. Il s'agit d'un être plein de bonnes intentions, mais que sa recherche occupe tout entier.

– Sa recherche de quoi ?

– De réponses. De solutions. De soi-même. L'Ermite est un homme bon, mais torturé par les doutes. Un homme qui cherche ailleurs ce qu'il devrait pouvoir trouver en lui-même.

— Ça me rappelle quelqu'un—moi, l'interrompit Jonathan. Vous êtes sûre que je suis le Fou et pas l'Ermite ?

— L'Ermite, poursuivit-elle sans l'écouter, marque la fin du chemin. La Mort, le Diable, la Lune sont des obstacles que le Fou trouvera sur sa route, et qui peuvent le faire trébucher ; mais s'il parvient à les surmonter, il sera prêt à affronter le Jugement. Et derrière le Jugement arrive l'Ermite. Les réponses de l'Ermite sont les réponses du Fou. Ils doivent se rencontrer pour que la boucle soit bouclée. »

Jonathan ferma les yeux et respira profondément, une, deux, trois fois. Après quoi, rouvrant les yeux, il se leva brusquement :

« Si vous avez terminé, je crains fort de vous avoir fait perdre votre temps, et vous le mien. Si vos cartes ne peuvent rien m'apprendre sur l'horloge Deveraux, alors elles ne me sont pas d'un grand secours. Ma belle-mère est en train de mourir, et le temps file, donc… Bonsoir. Je m'en vais. »

Il tourna le dos et traversa la pièce, puis le vestibule. Il ouvrit la porte et bouscula involontairement Lierre, revenue se recroqueviller au pied de l'escalier. Profondément endormie, celle-ci ne réagit pas. Jonathan sauta par-dessus le tas de haillons qui l'entourait, gravit les marches en courant, et se retrouva une fois de plus dans la rue.

« Une diseuse de bonne aventure ! cracha Bill Hadley. Marjorie est sur le point de mourir et la seule chose qui vient à l'idée de mon fils, c'est d'aller consulter une diseuse de bonne aventure ! Ce n'est qu'un bon à rien, toujours dans les nuages ! »

Le marquis l'examina longuement, le jaugeant du regard.
«Vous croyez que vous feriez mieux?

– Bien sûr que oui! Vous savez, c'est un bon garçon, mon fils, mais pour l'efficacité ou les responsabilités, y a du travail! On ne peut jamais rien lui confier d'important. Il est plein de bonne volonté, mais il n'a pas de cran, il ne sait pas ce qu'il veut, et avec sa tête en l'air... Il ne mène jamais rien à terme!

– Dans ce cas, pourquoi ne pas aller vous-même chercher l'horloge Deveraux?» suggéra le marquis.

Bill hésita et jeta un coup d'œil au corps inerte de Marjorie. Il ne voulait pas la laisser seule dans ce lugubre musée des Horloges. Le marquis se retourna vers l'image apparaissant dans le cadran.

«Ne vous dérangez pas, monsieur Hadley, dit-il d'une voix neutre. Ne perdez pas votre temps. Vous n'arriveriez même pas aussi loin que Jonathan. Je crains fort que l'âme de votre épouse ne dépende de ce garçon.»

Blessé dans son orgueil, Bill se redressa.

«Pour qui me prenez-vous? Je viens de vous dire que mon fils était un bon à rien! À sa place, j'aurais déjà trouvé cette horloge. Et je vais vous le prouver!»

Le marquis se tourna à nouveau vers lui et l'observa attentivement.

«Vous êtes certain de ce que vous dites?

– Absolument. Et pour commencer, dites-moi un peu à quoi ressemble cette fichue horloge.»

Au lieu de répondre, le marquis se remit à fixer l'horloge de Barun-Urt. L'image changea instantanément. On pouvait désormais voir une immense salle, luxueusement décorée, au plafond très haut et aux fenêtres gigantesques. Une foule y était rassemblée ; au fond de la pièce se trouvait une estrade supportant une table recouverte d'une nappe de velours. Hadley s'approcha.

« Qu'est-ce que c'est que ça ? Un bal masqué ? » s'enquit-il, sourcils froncés, en distinguant les perruques et les chausses des hommes, les longues et larges robes des femmes.

Le marquis sourit avec indulgence.

« Non, monsieur Hadley, ce n'est pas un bal masqué. Ceci est une scène du passé. Plus précisément, il s'agit de la dernière fois où l'horloge Deveraux a été aperçue par des yeux humains. Cela fait désormais presque trois siècles. »

Bill Hadley observa la scène avec un intérêt accru.

« On dirait une vente aux enchères.

– *C'est* une vente aux enchères, confirma le marquis. Regardez bien l'objet qui vient d'être mis en vente. »

Hadley vit qu'on installait sur la table une horloge magnifique, couverte d'or et de pierres précieuses.

« L'horloge Deveraux », dit le marquis d'une voix où perçait un désir ardent.

Hadley ouvrait des yeux grands comme des soucoupes.

« C'est de l'or massif ?

– Oui, mais ce détail n'a qu'une importance minime en ce qui vous concerne. Le véritable intérêt de cet objet, c'est qu'il est capable de contrecarrer les effets de l'horloge de Qu Sui. Ne l'oubliez pas. »

Hadley se tourna vers le marquis, suspicieux.

« Comment est-ce que je peux être sûr que vous me dites bien la vérité ?

– Vous ne pouvez pas. Mais vous n'avez pas tellement le choix, je me trompe?»

Hadley était sur le point de s'emporter, mais ses yeux se posèrent sur le corps sans vie de Marjorie, et sur l'horrible sphère d'où il l'avait entendue appeler au secours. Il ne put s'empêcher de pâlir.

«J'ai répondu à votre question, déclara le marquis. Vous savez désormais à quoi ressemble l'horloge Deveraux. Êtes-vous toujours disposé à partir à sa recherche?»

L'image présentée par Barun-Urt changea à nouveau, et sur son cadran revinrent les ruelles de la cité qui cachait un objet et son secret extraordinaire.

Hadley hésita encore un instant, mais il recouvra bientôt son air dédaigneux.

«Bien sûr. Vous verrez, je serai de retour très bientôt.»

Le marquis ne fit aucun commentaire tandis que Bill s'approchait de Marjorie pour l'embrasser – en évitant de poser les yeux sur la brume changeante du globe au-dessus d'elle – et se préparait à se mettre en route. Sur le seuil de la porte, le père de Jonathan se retourna une dernière fois :

«Monsieur le marquis... Quelque chose me tracasse : lors de la vente aux enchères, il y avait un bonhomme, au premier rang, qui vous ressemblait étrangement.

– Vraiment?» répondit le marquis calmement, sans quitter le cadran de l'horloge des yeux. «L'un de mes ancêtres, probablement. Mon intérêt pour les horloges est une passion de famille, ne vous l'ai-je pas dit?»

Bill faillit ajouter quelque chose, mais il se contenta de hausser les épaules et quitta la pièce. Le marquis ne fit pas un geste quand il entendit claquer la porte d'entrée du bâtiment, pas plus que lorsque Basilio vint lui annoncer que M. Hadley avait quitté les lieux. Ses yeux étaient fixés sur le cadran, où Emma courait derrière Jonathan pour le rattraper.

« Cette fille… »

Le ton de sa voix ne plut pas à Basilio.

CHAPITRE 7

«On peut savoir ce qui t'a pris? Tu as été extrêmement grossier avec elle!» Les yeux d'Emma lançaient des éclairs.

«Fiche-moi la paix!» Jonathan s'écarta brusquement d'Emma. «Vous êtes folles, toutes les deux! Toutes ces bêtises à propos du Jugement, du Fou, de la Mort...

– Ce ne sont pas des bêtises! Et puis pourquoi est-ce que tu me parles comme ça? J'essaie simplement de t'aider!»

Jonathan s'apprêtait à répondre, furieux, mais il se contint et réfléchit une minute. Emma avait raison. Lui qui avait toujours cru à la magie, aux choses extraordinaires, il était en train de se montrer prosaïque et sceptique – en fait, il était en train de se comporter comme son père.

«Je suis désolé. Je suis très nerveux, s'excusa-t-il. Tu sais, ça a l'air absurde, mais il faut absolument que je trouve cette horloge avant demain matin. Sinon, ma belle-mère...»

Il s'interrompit en entendant un bruit de pas pressés. Tous deux se tournèrent vers l'extrémité de la rue, et virent un homme qui s'approchait d'eux en courant. Jonathan recula instinctivement, mais Emma se contenta d'observer le nouveau venu avec curiosité. Ce dernier s'arrêta près des deux adolescents pour reprendre son souffle.

«Bon... soir...», haleta-t-il.

Jonathan l'examina avec attention et un peu de méfiance. C'était un homme jeune et ses vêtements étaient assez chic, mais son aspect général était plutôt négligé : cheveux longs et en broussaille, barbe de trois jours, chemise à moitié sortie du pantalon.

«Bonsoir», répondit Emma. Jonathan se rendit compte qu'elle ne quittait pas l'inconnu des yeux. Elle paraissait très intriguée.

Le jeune homme, une fois son souffle retrouvé, inspecta les deux côtés de la ruelle.

«J'ai réussi à la semer! annonça-t-il fièrement.

— À semer qui? demanda Jonathan.

— Elle, bien sûr, lança le jeune homme comme si c'était l'évidence même. Vous aussi, vous devez être en train de fuir la Dame, puisque vous êtes ici, pas vrai?»

À ces mots, les yeux d'Emma s'écarquillèrent comme si elle venait de comprendre quelque chose d'important.

«Ah! dit-elle d'un ton significatif.

— Je ne suis en train de fuir personne, objecta Jonathan qui, lui, comprenait de moins en moins. Au contraire, je cherche quelque chose. Qui es-tu?»

L'inconnu se redressa et lui adressa un regard grave.

«Je suis un fugitif, par conséquent je préfère ne pas vous révéler mon nom. Vous pouvez m'appeler Personne.

— Personne?» s'étonna Jonathan. Il commençait à croire

que son interlocuteur n'était qu'un fou de plus, et se demanda fugitivement pourquoi la Tireuse de Cartes avait soutenu que c'était lui, le Fou.

Le jeune homme acquiesça.

« Personne. Et si vous la rencontrez, et qu'elle vous demande où je suis, vous ne m'avez jamais vu, vous ne me connaissez pas, c'est bien compris ?

– Mais qui te persécute ? Et pourquoi ? »

Personne le toisa des pieds à la tête.

« Mais d'où est-ce que tu sors, gamin ? Tu ne connais pas le secret de la Cité Occulte ? Tu ne peux pas ne pas être au courant ! Si tu es arrivé jusqu'ici, c'est forcément grâce à une Porte ! »

Jonathan fit un pas en arrière.

« Je ne sais pas de quoi tu parles. Je suis venu ici chercher une horloge, rien de plus. »

Personne rit amèrement.

« C'est ridicule. Tout le monde sait qu'ils n'ont pas besoin d'horloges.

– Qui, eux ?

– Les Seigneurs de la Cité Occulte. La Cité Occulte », répéta Personne en voyant que Jonathan ne semblait pas le comprendre. « L'autre face de la Cité Antique. C'est... comme son ombre, son reflet. Quand tu te promènes dans la Cité Antique, d'une certaine manière tu traverses aussi la Cité Occulte, sauf que tu ne t'en rends pas compte, tu vois ce que je veux dire ? »

Jonathan fit un signe négatif de la tête. Personne soupira, exaspéré.

«Je n'arrive pas à y croire. J'ai mis des années à déchiffrer la légende de la Cité Occulte, après quoi il m'a encore fallu des années pour trouver la manière d'y pénétrer... Et toi, tu es arrivé jusqu'ici sans même savoir que tu y es?»

Il passa les doigts sous le col de sa chemise pour en extraire une chaîne à laquelle pendait une médaille.

«Tiens, regarde ça. C'est une Porte. Tu ne vas pas me raconter que tu n'as jamais rien vu de semblable, quand même!»

Jonathan s'approcha avec précaution, et découvrit qu'il s'agissait d'une amulette antique sur laquelle était gravé un symbole celte. Il fronça les sourcils.

«Si, on m'a donné une médaille de ce genre dans la soirée. Mais qu'est-ce que...

– C'est bon, c'est bon! s'exclama Personne avec un sourire de complicité. Dis, gamin, tu ne te rends pas compte qu'il y a des gens qui tueraient pour avoir une Porte? La Cité Occulte...

– Écoute, coupa Jonathan qui perdait patience, je ne sais pas de quoi tu parles. Pour tout ce qui concerne cette ville, je te conseille de lui poser des questions, à elle. Elle vit ici.»

Personne dévisagea Emma comme s'il la voyait pour la première fois.

«Toi, tu sais de quoi je parle, n'est-ce pas?»

Emma acquiesça lentement. Ses yeux étaient toujours grands ouverts.

«C'est inutile, chuchota-t-elle. Tu n'arriveras pas à lui échapper. Si ton heure est arrivée, elle te retrouvera, où que tu sois.»

Le sourire de Personne s'évanouit.

«Ce n'est pas vrai! N'essaie pas de me raconter des salades. Je sais ce qui se passe ici. Je sais qu'elle n'a aucun pouvoir dans la Cité Occulte.»

Emma secoua tristement la tête.

«Tu n'es pas le premier à essayer de te réfugier ici. D'autres l'ont fait, mais en vain. C'est vrai, elle n'a aucun pouvoir ici, mais elle trouvera le moyen d'arriver jusqu'à toi.»

Personne recula de quelques pas. Il dévisageait Emma de telle manière que Jonathan se sentit un peu inquiet.

«Je... je ne te crois pas! balbutia-t-il faiblement. Je ne suis pas comme les autres. Moi, j'y arriverai!»

Emma le regarda droit dans les yeux.

«Dans ce cas-là, sauve-toi. Elle approche.»

Personne fit quelques pas en arrière, puis il se retourna brusquement et se mit à courir. Emma et Jonathan le perdirent rapidement de vue.

Le marquis sourit.

«Encore un imbécile qui cherche refuge dans la Cité Occulte.... Quand donc comprendront-ils?

— Monsieur?» demanda Basilio, timidement. Il se tenait sur le pas de la porte, n'osant pas entrer dans la salle des horloges extraordinaires, les yeux en arrêt sur l'une des étagères.

«Enfin, ce niais tombe à pic, continua le marquis. Peut-être M. Hadley va-t-il réussir à passer de l'autre côté, après tout. Si on l'y aide un peu, bien entendu.»

Au moment où il prononçait ces mots, le chat noir du

marquis se glissait dans la pièce pour se frotter contre ses jambes. Le marquis le prit dans ses bras.

« Tu sais ce qu'il te reste à faire », murmura-t-il.

Il plaça alors le chat devant le cadran de l'horloge de Barun-Urt, qui montrait une image de Personne en train de courir éperdument.

« Ceux de ton espèce ont la chance de pouvoir passer d'un côté à l'autre sans avoir besoin de Porte... Utilise ce pouvoir. »

Le chat ronronna.

L'image de l'horloge changea. Le cadran présentait à présent Bill Hadley en train d'avancer à grands pas dans les rues désertes de la Cité Antique.

« Stupide, n'est-ce pas ? C'est pour cela qu'il a besoin de notre aide. »

Il posa le chat par terre. Celui-ci leva la tête et observa le marquis avec intelligence.

« File », lui intima son maître.

L'animal bondit hors de la pièce.

« Monsieur, osa intervenir Basilio, le chat... »

Mais il se tut. Le marquis s'était à nouveau retourné vers l'horloge, et son impassibilité habituelle avait laissé place à une expression d'anxiété étrange. Les yeux écarquillés, le souffle court, il semblait avoir du mal à contrôler ses mains qu'il avait levées comme pour empoigner l'horloge de Barun-Urt. Ayant réussi à s'arrêter à temps, il gardait à présent les bras en l'air, dans un geste de supplication.

Basilio suivit son regard pour voir ce qui avait à ce point altéré la tranquillité du marquis. Il ne vit que Jonathan et Emma en train de parler dans la ruelle obscure. Il s'apprêtait à poser une question quand il distingua une ombre sans forme qui se rapprochait des deux adolescents. Il frissonna, sans savoir pourquoi.

Hideusement déformé, le visage du marquis n'était plus qu'un masque grotesque.

« Viens, chuchota-t-il à l'ombre. Montre-moi ton visage. »

« Quel était ce fou ? demanda Jonathan.

– Personne, répondit Emma.

– Tu te moques de moi ?

– Il n'est pas d'ici. Il ne compte pas pour nous qui vivons dans cette ville. D'ailleurs, c'est comme s'il n'existait pas, puisque en fait il ne *devrait* pas exister.

– Je ne comprends pas. Moi non plus, je ne suis pas d'ici ; es-tu en train de me dire que je ne suis personne ?

– Non. Toi, tu existes à l'extérieur de cette ville. Lui non.

– Écoute, Emma… »

Mais Jonathan ne termina pas sa phrase, car il aperçut à ce moment-là la forme haute et svelte, plus sombre que l'obscurité même, qui s'approchait d'eux. Jonathan l'étudia avec suspicion, mais Emma ne fit pas le moindre mouvement. L'ombre passa près d'elle en l'ignorant complètement, pour se diriger vers Jonathan. Ce dernier sentit un froid soudain envahir tout son être.

« Pardon », dit-elle.

C'était une voix féminine, mais elle avait un ton étrange, profond et surnaturel. Jonathan était sur ses gardes. Il se rappela que le démon était capable de se métamorphoser.

« Je cherche quelqu'un », dit la voix.

En découvrant les traits de la femme, Jonathan demeura muet de surprise. C'était un visage intemporel, dénué d'expression, indubitablement beau, mais blanc et froid comme le marbre. On ne distinguait pas la pupille des yeux, noirs comme des abîmes sans fond.

« Je cherche quelqu'un, répéta-t-elle. Sebastián Carsí Villalobos. Né le vingt-six juillet mille neuf cent soixante-six. Il est passé par ici.

– Je… je ne le connais pas, articula Jonathan. Personne est… personne n'est passé par ici.

– Ah, se limita à répondre son interlocutrice. Merci. C'est tout ce que je voulais savoir. »

Elle s'éloigna d'eux, marchant dans l'ombre jusqu'à se fondre en elle. Jonathan cligna des yeux. La mystérieuse inconnue avait disparu.

« Sebastián Carsí Villalobos ? répéta Emma. C'est le véritable nom de Personne ?

– Je suppose, répondit Jonathan qui tremblait encore. Pourquoi cette femme le persécute-t-elle ?

– Ça me semble évident, soupira sa compagne. Si tu avais un tant soit peu fait attention à ce que te disait la Tireuse de Cartes, tu te serais rendu compte que tu viens de rencontrer deux des êtres dont elle t'a parlé. »

Jonathan réfléchit, perplexe.

« J'ai rencontré le Diable, dit-il, mais c'était avant de la voir, elle. »

Emma secoua la tête.

« Tu ne comprends toujours pas ? Personne, c'est le Pendu. Et celle qu'il essaie de fuir, c'est la Mort. »

Quelque part dans la Cité Occulte, plusieurs paires d'yeux observaient les deux amis.

« À l'aube, il partira et ne reviendra plus.

— Comment peut-on être certain qu'il se rendra à ce moment-là ? Il en sait déjà trop.

— C'est vrai. N'oublions pas qui l'envoie. Rien ne nous garantit qu'il s'en ira demain matin.

— Voyons, soyez raisonnables. Ce n'est encore qu'un enfant. Vous avez peur d'un enfant au point de vouloir sa mort ?

— Il vaut mieux ne pas courir de risques. L'enjeu est trop important.

— C'est vrai. Il a déjà échappé au démon.

— Oui, mais il a été aidé. Cela ne se reproduira pas.

— Non. La prochaine fois, le démon l'attrapera.

— Pauvre garçon ! Est-ce réellement nécessaire ? Peut-être pouvons-nous faire en sorte qu'il s'en aille, voilà tout ?

— Ça ne changerait rien. Il sait comment arriver jusqu'ici.

— Il n'est pas le seul. Nous avons pardonné à ce dingue de la synagogue.

— Justement. Nous n'aurions pas dû ! Tu as vu où ta pitié nous a menés ? C'est lui qui a remis une Porte à ce gamin, et maintenant… »

Ils se turent. Il y eut un moment de silence. Puis s'éleva à nouveau une voix féminine, froide et sans colère :

« Lâchons les chiens. »

CHAPITRE 8

« Il y a des gens qui croient que s'ils viennent ici, la Mort ne pourra pas les attraper, expliqua Emma.
– Et c'est vrai ? »
La jeune fille fit un signe négatif.
« Non. Cet endroit est… spécial, c'est vrai, mais la Mort finit toujours par retrouver ceux qu'elle cherche, tôt ou tard. Pour lui échapper, il faut faire un pacte avec le Diable. Et tout le monde devrait désormais savoir que c'est toujours le Diable qui gagne. Ce n'est jamais une bonne idée de traiter avec lui. »
Jonathan frissonna.
« Je sais que tu ne vas pas me croire, Emma, mais… quand je t'ai rencontrée dans la cathédrale… j'étais poursuivi par un démon. Il venait d'essayer de me donner un sablier qui pouvait m'assurer l'immortalité. »
Emma ébaucha un sourire.
« Pourquoi est-ce que je ne te croirais pas ? Il y a beaucoup de gens qui viennent ici à la recherche de l'immortalité. C'est un bon territoire de chasse pour les démons. Ils

cherchent toujours à tenter les gens en leur offrant ce qu'ils désirent le plus. Et en échange de l'immortalité, ils peuvent se permettre d'exiger un certain nombre de choses, pas vrai?

– Mais alors pourquoi ne m'a-t-il pas offert l'horloge que je cherche?

– Il ne pouvait probablement pas te la donner. Le Diable tient toujours ses promesses. Mais même comme ça, il réussit toujours à gagner au change.»

Jonathan dévisagea longuement Emma.

«Où suis-je? Quel est cet endroit étrange?»

Elle poussa un soupir.

«Tu commences à y voir un peu plus clair, on dirait! Personne avait raison, Jonathan. Cette ville a deux visages. L'amulette qui est en ta possession est spéciale, tu sais. C'est une sorte de clef, ou mieux encore, une porte. Elle te permet de passer d'un endroit à l'autre.»

Jonathan secoua la tête.

«Ce n'est pas possible…»

«Tu cherchais cet endroit, et maintenant tu y es. De quoi te plains-tu? Si tu…»

Jonathan ne la laissa pas terminer. Il la prit soudain par les épaules et plongea ses yeux dans les siens. Emma tourna immédiatement la tête pour rompre le contact visuel. La faible lumière des étoiles se reflétait dans les lunettes de Jonathan, mais on pouvait malgré tout lire dans son regard une impatience fébrile.

«Écoute. Je veux bien admettre que je suis arrivé dans un lieu singulier. Je veux bien admettre que le Diable et la Mort tournent autour de nous, je veux bien admettre tout ce que tu me racontes, sans croire que je suis devenu fou, malgré ce que nous a raconté la… Tireuse de Cartes. Et tu sais pourquoi? Parce que j'ai admis que l'âme de ma belle-mère a été capturée par une horloge chinoise qui se nourrit, justement, d'âmes. Tu trouves que c'est absurde? Eh bien moi aussi. Mais figure-toi que je l'ai vue moi-même là-dedans, que je l'ai même entendue m'appeler par mon nom et demander de l'aide… depuis le globe de cette horloge. Et si toi, tu peux me raconter le plus naturellement du monde que cette ville a deux visages et que les démons y circulent pour offrir l'immortalité à ceux qui veulent échapper à la Mort, alors j'aurais tendance à croire que tu pourrais faire un petit effort et admettre ce que moi, je suis en train de te raconter.

– Jonathan…», susurra-t-elle. Elle détournait les yeux, mais l'adolescent crut y voir de la compassion.

«Ma belle-mère est en danger, insista-t-il. Ce n'est pas ma mère, mais ça ne change rien. Marjorie n'est pas une lumière, mais elle a toujours été très gentille avec moi. Elle n'a jamais essayé de remplacer ma mère. De toute façon elle est tellement jeune… c'est presque comme avoir une grande sœur. Et même si nous sommes très différents, même si je me rends bien compte qu'elle ne me comprend pas, eh bien au moins elle me respecte, et je ne pourrais pas en dire autant de mon père.»

Le regard d'Emma était toujours perdu dans le vague. Jonathan respira profondément.

«Écoute, je ne suis peut-être pas très fort, ni très courageux, ni très intelligent, mais je suis le seul à pouvoir la sauver. Si je ne trouve pas l'horloge Deveraux d'ici l'aube, elle perdra son âme. Et si je ne me trompe, c'est un sort bien pire que la mort. Je ne peux pas la laisser tomber. Tu es d'accord, n'est-ce pas ?

– Jonathan..., répondit-elle, visiblement peinée. Je... Je suis vraiment désolée... J'ai entendu parler de l'horloge Deveraux, mais elle n'est pas ici.

– Quoi ? »

Jonathan retira brusquement ses mains de ses épaules.

« Elle n'est pas ici, murmura Emma. Elle se trouve dans la Cité Antique. »

Jonathan tremblait.

« Non ! C'est une horloge extraordinaire ! Si tu m'as dit la vérité à propos des deux visages de cette ville, alors l'horloge se trouve forcément dans la partie cachée. Et même si ce n'était pas le cas, je n'ai jamais quitté la Cité Antique, donc je suis au bon endroit. Tu m'entends ? »

Emma acquiesça, détournant toujours les yeux. Jonathan pensa qu'il l'avait effrayée.

« Excuse-moi, reprit-il. Je ne voulais pas te crier dessus, mais je suis tellement nerveux... La vérité, c'est que je suis complètement dépassé par les événements. Et... merci de m'aider. Tu es une véritable amie. »

Emma hésita.

« Je... Écoute, à propos de cette horloge... je me suis peut-être trompée. Je vais t'emmener voir le Faiseur d'Histoires, il devrait... »

Soudain, un hurlement sinistre perça le silence de la nuit. Emma s'immobilisa, les yeux démesurément ouverts. Un chœur d'aboiements s'éleva jusqu'aux étoiles.

«Oh! non, ce n'est pas vrai, chuchota Emma, très pâle. Ils n'ont pas fait ça!

– Fait quoi?»

Les aboiements se rapprochaient, rebondissant contre les parois de pierre et résonnant à travers les ruelles tortueuses de la Cité Occulte.

Emma se tourna vers Jonathan.

«La Chasse! Ils sont après toi! Oh, Jonathan, Jonathan, tu ne pourras pas leur échapper! Il faut que tu te débarrasses de la Porte. Lance-la loin de toi!

– Quoi? Pourquoi? Que se passerait-il si je le faisais?

– Tu te retrouverais dans la Cité Antique! Ces chiens sont les gardiens de la Cité Occulte. Si tu franchis la frontière, ils ne pourront rien contre toi!»

Jonathan leva la tête vers les étoiles. Il n'avait aucun moyen de savoir l'heure qu'il était. Cela faisait un certain temps que l'on n'entendait plus les cloches du couvent.

«Je ne peux pas, dit-il. Toutes les pistes m'ont mené ici, je ne peux pas partir! Je n'ai plus beaucoup de temps, c'est si difficile à comprendre?»

Une expression étrange s'afficha sur le visage d'Emma, comme si, effectivement, elle ne comprenait pas de quoi il voulait parler. Serrant les dents, elle reprit :

«Très bien, dans ce cas-là il ne te reste plus qu'une chose à faire. Cours!»

Jonathan se figea un instant, déconcerté, mais Emma l'attrapa par la main et se mit à courir en l'entraînant derrière elle. Jonathan eut pourtant le temps d'apercevoir l'ombre d'un énorme chien noir se profiler derrière eux. Atterré, il se demanda s'il existait vraiment des chiens semblables, ou si c'était son imagination qui avait prêté à l'animal une taille aussi effrayante et des yeux rouges et brillants comme des charbons ardents. Emma le tirait avec force, et Jonathan obligea ses jambes à accélérer.

La poursuite fut brève, mais elle parut éternelle à l'adolescent. La meute de chiens semblait avoir pris possession de toutes les rues de la Cité Occulte. Leurs pattes puissantes foulaient les sols pavés et forçaient Emma et Jonathan à courir à une vitesse vertigineuse. Les yeux des chiens étincelaient ; leur langue pendait hors d'une gueule entrouverte où l'on pouvait apercevoir des crocs gigantesques et terriblement pointus. Oreilles dressées, queue battant l'air, ils filaient derrière leur proie, rapides comme le vent, traquant l'odeur de Jonathan.

Leurs aboiements et leurs hurlements troublaient le silence de la Cité Occulte, et Jonathan les entendait, toujours plus proches, tandis qu'il détalait à perdre haleine derrière Emma. Cette dernière le guidait à travers des ruelles obscures et cachées, mais ils finissaient toujours par se retrouver face à l'un de ces monstres. Et chaque fois, alors que Jonathan avait l'impression que tout était perdu, la jeune fille le tirait vers un petit passage latéral que le garçon n'avait pas remarqué, ou bien se précipitait vers une porte qui cédait avec une facilité surprenante et qui les conduisait dans un coin où ils pouvaient, pendant quelques minutes, reprendre leur souffle… jusqu'à ce qu'un autre chien retrouve leur trace.

Jonathan aurait été incapable de dire combien de temps

dura leur fuite. Plus d'une fois, il fut tenté de suivre le conseil d'Emma : se débarrasser de l'amulette, retourner à la Cité Antique, oublier tout ce qui s'était passé, et surtout échapper à ces chiens monstrueux. Mais cela signifiait non seulement renoncer à sauver Marjorie, mais aussi abandonner Emma. Que lui arriverait-il, à elle, s'il la laissait ici ?

Ils étaient en train de tâcher de semer un chien particulièrement féroce qui les talonnait depuis un bon moment lorsque le pied de Jonathan glissa sur l'un des pavés humides. L'adolescent tomba en avant, entraînant Emma avec lui. Ils heurtèrent un mur dans leur chute. Jonathan mit quelques secondes avant de revenir à lui, mais Emma se releva étonnamment vite et se mit à escalader le mur.

« Dépêche-toi, Jonathan ! »

Jonathan n'eut pas à se retourner, il pouvait clairement entendre les hurlements du chien se rapprocher dangereusement. Il se mit à grimper à la suite d'Emma. Une fois en haut, la jeune fille lui tendit la main pour l'aider à monter, juste à temps pour échapper au chien arrivant au pied du mur. Tous deux sautèrent de l'autre côté et atterrirent sur l'herbe d'un petit parc, près du fleuve. En inspectant les alentours, Jonathan remarqua que la grille du parc était fermée. Pour le moment, ils étaient saufs.

« Jonathan, on ne peut pas continuer comme ça ! haleta Emma, suppliante. Ils finiront par nous attraper ! »

Jonathan s'aperçut alors que du sang coulait sur sa tempe.

« Emma, tu es blessée ! »

Elle le repoussa avec impatience.

«Ça n'est pas grave! Écoute, il *faut* que tu te débarrasses de la Porte!»

Jonathan caressa un instant l'idée de se retrouver dans la Cité Antique, tranquille et somnolente, où l'on ne risquait pas de croiser des démons ou des chiens infernaux – sans parler de la Mort elle-même. Il mit la main dans sa poche et effleura du doigt le médaillon que lui avait donné Nico; il remarqua qu'il était chaud, presque palpitant, comme s'il avait été vivant. Si cela ne lui avait pas paru totalement absurde, Jonathan aurait juré qu'il sentait les battements d'un minuscule cœur.

Il reporta son attention sur Emma. Elle était crasseuse et blessée, et semblait fatiguée. Jonathan se sentit coupable de l'avoir mise dans une telle situation.

«Et toi? Je ne peux pas t'abandonner. Après tout ce que tu as fait pour me venir en aide!

– Ne sois pas stupide! C'est toi qu'ils cherchent!»

Elle s'était assise sur un banc et surveillait la grille du parc, derrière laquelle brillaient deux paires d'yeux rouges. Mais Emma n'avait pas l'air de les craindre.

Elle se retourna vers lui.

«Jonathan, il faut que tu t'en ailles. Fais-moi confiance!»

Elle avait une voix préoccupée. Le jeune garçon sentit l'émotion l'envahir.

Emma était inquiète pour lui. Elle le connaissait à peine, et pourtant elle l'aidait, le protégeait… avait l'air de tenir à lui.

«Je ne peux pas te laisser seule.

– Tu ne seras pas d'une grande utilité à ta belle-mère si tu te fais tuer», répliqua-t-elle sèchement.

Jonathan s'approcha d'un belvédère qui offrait une vue sur le fleuve et réfléchit en contemplant les eaux noires.

« Mais je ne sais pas si… »

Un aboiement l'interrompit. L'un des chiens venait de surgir de l'obscurité et s'apprêtait à lui sauter à la gorge. Jonathan resta paralysé d'horreur. La seule chose qui lui vint à l'esprit fut de se demander par où l'animal avait pu entrer.

Quelqu'un l'empoigna par un bras. Il trébucha contre la barrière qui entourait le belvédère et se sentit tomber dans le vide.

Et puis plus rien.

Jonathan ouvrit lentement les yeux. Il avait très mal à la tête, et il mit quelques minutes à retrouver ses repères. Quelque chose le chatouillait dans le noir.

Il revint peu à peu à lui et découvrit qu'il était affalé sur un buisson. Il ajusta ses lunettes et jeta un coup d'œil autour de lui. Il faisait nuit, et Jonathan se trouvait dans un jardin, ou peut-être un parc.

Soudain, tout lui revint en mémoire. Le musée des Horloges, le marquis, Nico, le démon, Emma, la Tireuse de Cartes, les chiens…

Tout cela n'avait-il été qu'un rêve ? Mais dans ce cas-là, que faisait-il ici ? Et s'il s'agissait bien de la réalité, où étaient passés les chiens ?

Il se leva d'un bond, mais le parc était vide et silencieux. Il se souvint être tombé…

Le parc comprenait en effet plusieurs plates-formes à différents niveaux, et de petits belvédères permettant d'admirer le fleuve. Il était tombé de l'un d'entre eux et avait atterri au niveau inférieur, le buisson amortissant sa chute.

Que s'était-il passé? Était-ce Emma qui l'avait empoigné? Pour lui sauver la vie?

« Emma? » appela Jonathan.

Pas de réponse. Un silence profond régnait, qui contrastait avec le chœur d'aboiements et de hurlements infernaux qui avait fait trembler la Cité Occulte quelques instants plus tôt. L'adolescent mit ses mains en porte-voix et cria de toutes ses forces :

« Emmmaaaaaa! »

En vain. Une sourde inquiétude l'envahit. Et si les chiens avaient attaqué Emma? Jonathan préférait ne même pas s'arrêter à cette supposition. S'il était arrivé quelque chose à son amie, il ne se le pardonnerait jamais. Elle avait couru des risques uniquement pour l'aider.

Soudain lui vint à l'esprit l'amulette qui, selon la jeune fille, permettait de passer d'une dimension à l'autre. Il chercha dans sa poche, mais ne la trouva pas. Il se souvint alors qu'il la tenait dans ses mains au moment où le chien était apparu devant lui. Pris de panique, il chercha aux alentours. Il finit par la dénicher, suspendue à l'une des branches du buisson. Il s'en empara, puis regarda à nouveau autour de lui.

Le paysage avait légèrement changé. C'était le même parc, du moins en apparence, mais son aspect était plus sauvage, moins soigné, et les lampadaires avaient disparu : tout était désormais plongé dans la pénombre. Autre différence : on entendait une voix qui chantonnait une mélodie sans paroles. Jonathan aperçut une silhouette vêtue de blanc assise sur une rambarde non loin de lui, les pieds pendant dans le vide, visiblement une petite fille.

L'adolescent aurait juré qu'elle n'était pas là quelques secondes plus tôt, et il examina l'amulette avec un respect nouveau. Voulant s'assurer de ne pas la perdre, il passa la chaîne autour de son cou.

Il s'approcha ensuite de la fille avec précaution, n'osant croire qu'il pouvait s'agir d'Emma. Même si cette dernière avait pu échanger ses vêtements colorés contre cette vaporeuse tenue blanche, il n'y avait aucune raison pour qu'elle se soit assise là et qu'elle se soit mise à chanter. Quoique…

«Heu… excusez-moi… », dit Jonathan.

Elle ne parut pas l'entendre. Ce n'était pas Emma, et Jonathan se sentit légèrement déçu. Des cheveux noirs retombaient sur ses épaules, et ses yeux étaient perdus dans le lointain.

«Bonsoir!» insista Jonathan.

La fille se tourna vers lui.

«Oh, bonsoir, dit-elle placidement. Qui es-tu? C'est la première fois que je te vois dans l'un de mes rêves.

— Tes… rêves?

— Mais oui. Je suis en train de dormir, et ceci est mon rêve. Je rêve souvent de cette ville, et parfois elle a l'air réelle, mais je finis toujours par me réveiller dans mon lit, et par comprendre que ce n'était qu'un rêve.»

Jonathan garda le silence un moment. C'était là une autre possibilité. Et si tout cela n'était qu'un rêve? Ou plutôt un cauchemar?

Cependant, même si ce qu'il avait vécu au cours des dernières heures lui paraissait trop étrange pour appartenir à la réalité, le souvenir d'Emma était bien trop vif pour être ignoré. L'adolescent soupira. Il n'avait pas souvent été d'accord avec elle depuis qu'il l'avait rencontrée, mais cela n'ôtait rien au fait qu'elle lui avait sauvé la vie, et qu'elle lui était venue en aide au moment où il se sentait le plus désorienté.

Il se demanda s'il la reverrait et découvrit qu'elle lui manquait. Il se sentait perdu sans elle.

Il se retourna vers la fille de la rambarde.

« Qui es-tu ?

— Mon nom n'a aucune importance, ici, pas vrai ? Nous sommes dans le domaine des rêves, donc je suppose qu'on peut considérer que je suis une Rêveuse. Comme toi.

— Non, moi je suis réveillé, objecta Jonathan. J'en suis certain.

— C'est vrai ? Et comment le sais-tu ?

— Comment le sais-tu toi-même ? rétorqua-t-il. Je veux dire... imagine que ceci soit la réalité. Imagine que tu vives ici, et que toutes les nuits tu rêves que tu te réveilles dans un autre lit et que tu vis une autre vie. Comment savoir laquelle de tes deux vies est la vraie ?

— Là-bas, j'ai un nom, répondit-elle tranquillement. Alors qu'ici, je ne suis que la Rêveuse. Les gens me regardent comme s'ils ne me voyaient pas. Comme s'ils savaient que j'allais me réveiller d'un moment à l'autre, et disparaître.

— Eh bien, pour moi, c'est le contraire. Tout le monde

fait attention à moi. Normalement, je suis bien peu de chose ; mais depuis que je suis arrivé ici, il semblerait que je sois devenu quelqu'un d'important. Les uns attendent des prodiges de ma part, et les autres font tout ce qu'ils peuvent pour m'écarter de leur chemin. »

La Rêveuse sourit.

« Tu vois ? Tu es en train de rêver que tu es tel que tu aimerais être. »

Jonathan se tut, déconcerté. Puis il répliqua :

« Ou peut-être que j'arrive à être différent aujourd'hui justement parce que j'ai toujours rêvé d'être différent. J'ai toujours rêvé de faire quelque chose d'important, comme sauver la vie de quelqu'un. Et maintenant que j'en ai l'opportunité, je sais que je peux le faire parce que je l'ai fait de nombreuses fois dans mes rêves. C'est à ça que servent les rêves, tu ne crois pas ? À nous montrer jusqu'où nous pourrions arriver. »

La Rêveuse resta silencieuse.

« Peut-être que c'est toi qui es en train de rêver que tu me rencontres, continua Jonathan. Mais peut-être aussi est-ce moi qui rêve, et demain je rêverai d'une autre personne qui, dans mon rêve, croira qu'elle existe réellement. Peut-être même que toi, moi, et tout ce que nous appelons la "réalité" ne sont que les éléments du rêve d'un autre Rêveur, en un cycle sans fin. Tu vois ce que je veux dire ? »

La Rêveuse répondit enfin.

« Non. Tu n'es pas réel. Tu es un personnage de mon rêve. Quand je me réveillerai, tu auras disparu. Va-t'en. Tu déranges la paix de mon refuge onirique, et tu m'empêches de me reposer. Va-t'en. Tu ne m'apportes que de la confusion. »

Elle entonna à nouveau son étrange mélodie, ignorant délibérément Jonathan.

L'adolescent ne voulut pas la déranger plus longtemps. Sans la saluer, il lui tourna le dos. Il entendait encore les notes de la chanson de la Rêveuse lorsqu'il pénétra à nouveau, avec prudence, dans les ruelles de la Cité Occulte.

Dans la Cité Antique, Bill Hadley n'obtenait pas beaucoup de résultats dans sa recherche. La nuit était déjà bien avancée, et tous les magasins ou bâtiments officiels étaient fermés depuis longtemps. Seules quelques personnes erraient encore dans les rues, et toutes celles à qui il avait adressé la parole avaient le malheur de ne pas parler anglais.

Hadley parcourait la ville dans tous les sens, soufflant comme une locomotive, furieux. Il avait toujours supposé que partout dans le monde les gens parlaient anglais aussi couramment que leur langue maternelle, alors que ce n'était pas le cas.

Il arriva sur une petite place où un groupe de jeunes, entre deux grands éclats de rire, fumaient et buvaient. Il s'approcha d'eux et tenta de leur expliquer ce qu'il cherchait.

Tout d'abord, les jeunes le dévisagèrent comme s'ils avaient eu affaire à un fou. Heureusement, l'un d'entre eux comprenait relativement bien l'anglais. D'après ses explications, il avait passé un an en Écosse.

Hadley lui coupa la parole dès qu'il comprit que son interlocuteur avait entrepris de lui raconter cette expérience en détail. Il lui demanda aussitôt s'il avait entendu parler de l'horloge qu'il recherchait.

«Non, jamais», lui répondit celui-ci. Il expliqua ensuite aux autres ce que voulait l'Américain.

Il y eut des sourires, et même quelques ricanements. De toute évidence, personne ne semblait trouver que c'était un bon moment pour partir à la recherche d'une horloge antique. L'un d'eux, cependant, émit une suggestion. L'interprète se tourna vers Hadley.

«Mon ami dit qu'il y a pas mal d'antiquités dans le musée du couvent. Pour la plupart, des trucs d'Église, des calices et ce genre de choses, mais il y a aussi quelques horloges en or dans le tas.»

Hadley les remercia, et, triomphant, partit en direction du couvent.

Au musée des Horloges, le rat s'inclina devant l'empereur de l'horloge de Qu Sui.

Et toutes les autres horloges sonnèrent douze coups.

CHAPITRE 9

Jonathan n'avait pas fait de mauvaise rencontre. Ni chiens monstrueux, ni démons, ni la Mort. Mais il n'avait pas non plus retrouvé Emma.

Il ne savait pas depuis combien de temps il allait et venait dans la Cité Occulte – d'ailleurs, là-bas, le temps n'était pas le même que dans le monde d'où il venait. Maintenant qu'il connaissait le secret de la dualité de cette ville extraordinaire, il observait tout ce qui l'entourait avec un intérêt renouvelé. Il se demandait comment il avait pu errer aussi longtemps dans la Cité Occulte en se croyant toujours dans le même lieu, sans se rendre compte des nombreuses différences. Cette ville était très semblable à la Cité Antique : les mêmes édifices, les mêmes rues... mais les détails, eux, changeaient du tout au tout. Les coins étaient plus sombres, les maisons plus décrépites, les jardins plus sauvages. C'était comme si, quelque part dans le temps, une ville s'était dédoublée en deux cités exactement identiques, et que chacune des deux villes ainsi formées avait continué à exister et à changer de son côté, la première ouverte au monde, la seconde lui tournant le dos.

Ici, le couvent était abandonné depuis longtemps, et aucune horloge ne sonnait les heures du haut du clocher. Devant la synagogue se trouvait une petite boutique comme celle de Nico, mais elle était vide.

Les variantes étaient subtiles et ne sautaient pas aux yeux, mais elles étaient là. Jonathan se demanda si le marquis avait fait allusion à la double nature de la ville en affirmant qu'il lui était interdit d'arriver jusqu'à l'horloge Deveraux. Mais si Nico, Personne, et Jonathan lui-même avaient réussi à pénétrer dans la Cité Occulte... comment croire qu'un homme comme le marquis n'y parvienne pas ?

Jonathan continuait à marcher, perdu dans ses pensées. L'exploration de cette face de la cité avait réussi à le distraire de son but principal.

Le problème, c'était que sans Emma il n'avait pas la moindre idée de la marche à suivre. Il se souvenait qu'elle avait mentionné un Faiseur d'Histoires, ou quelque chose du genre. Devrait-il se mettre à le chercher ? Et auprès de qui se renseigner ?

Il s'arrêta brusquement en apercevant une faible lumière émanant d'une ruelle latérale. En se tenant sur ses gardes, il se dirigea vers cette lueur.

La rue débouchait sur une petite place entourée d'arbres et de bancs, au centre de laquelle trônait une fontaine en pierre. Jonathan la reconnut immédiatement : il s'agissait de la place où il avait trouvé l'horlogerie Moser. Dans la Cité Occulte, l'endroit était assez similaire à son original, jusqu'au détail de la bouche de la fontaine en forme de dragon.

Mais aucune horlogerie n'était en vue.

Là où il avait découvert une «Horlogerie Moser, Spécialisée dans la réparation et la restauration d'horloges antiques depuis 1872» se tenait une petite boutique poussiéreuse, dont l'enseigne vermoulue annonçait :

Objets bizarres de toutes sortes – Bonne kalité et bon marché

Jonathan se demanda qui diable avait bien pu écrire «qualité» avec un *k* – et qui diable maintenait son magasin ouvert en plein milieu de la nuit.

Il décida d'aller quérir des informations sur l'horloge Deveraux.

Il poussa la porte, qui céda immédiatement. Ce qui suivit son entrée le fit sursauter violemment. Jonathan était habitué aux magasins dont les portes étaient munies de petites clochettes pour annoncer l'arrivée d'un client, mais il n'avait jamais été accueilli par les croassements hystériques d'une vieille corneille à moitié déplumée. En examinant l'oiseau avec plus d'attention, Jonathan découvrit avec surprise qu'il s'agissait d'un automate et non d'un véritable animal. Personne n'ayant accouru au bruit et la corneille s'étant tue, Jonathan fit quelques pas dans le magasin et regarda autour de lui, fasciné.

Partout, des étagères bondées recouvraient les parois du sol au plafond. À la lueur tremblotante des trois bougies d'un chandelier, Jonathan discerna des objets de toutes sortes entassés dans le désordre le plus total. Le comptoir lui-même avait disparu sous des piles de marchandises. Prenant garde aux endroits où il posait les pieds, Jonathan fit le tour de la boutique, ahuri par ce qu'il voyait.

Il y avait des tableaux dont les personnages changeaient de position selon l'angle sous lequel on les examinait ; des livres aux pages blanches, qui ne se recouvraient de mots qu'au fur et à mesure qu'on les lisait ; des statuettes de porcelaine qui suivaient le visiteur des yeux ; des bijoux dont la couleur se modifiait à chaque instant, en passant par des nuances dont Jonathan aurait juré qu'elles n'existaient pas ; des plumes qu'il fallait tenir attachées au bout d'une chaîne, car elles s'obstinaient à relater par écrit tout ce qui se passait devant elles – elles avaient d'ailleurs recouvert d'encre la petite surface que la chaîne laissait à leur portée ; un cirque d'automates miniatures qui exécutaient de véritables prouesses acrobatiques ; une drôle de bicyclette à cinq roues ; une cage sans porte ; une lampe qui, allumée, faisait l'obscurité autour d'elle ; une double casserole faite de deux récipients reliés par un manche unique ; un radiateur en forme de cornichon ; un vase souriant ; un miroir qui reflétait l'arrière de ce qui était devant lui, c'est-à-dire que lorsque Jonathan lui faisait face il lui montrait son dos…

Et puis il y avait des horloges, des centaines d'horloges. Elles n'étaient peut-être pas aussi extraordinaires que celles de la salle secrète du marquis, mais elles étaient pour le moins étranges. Certaines avaient un cadran de treize heures ; d'autres possédaient de nombreuses aiguilles ; d'autres aucune ; d'autres encore avançaient en sens inverse, comme si elles remontaient le temps. Sans parler de leurs formes, couleurs, tailles. L'une d'entre elles était en forme de cochon ; une autre arborait des rayures orange et violettes. Il y en avait une incrustée dans un chaudron en laiton (Jonathan supposa qu'elle prévenait

lorsque la soupe, ou peut-être la potion magique, était prête).
Une autre enfin était aussi plate que du papier à cigarettes.

Il était en train d'examiner les horloges et de se demander si par hasard parmi elles pouvait se trouver l'horloge Deveraux, lorsque quelque chose attira son attention. Cela ressemblait à un vieux tourne-disque, si ce n'est que l'endroit où l'on aurait dû poser le disque n'était pas rond mais rectangulaire, et qu'un livre ouvert y reposait. L'aiguille du tourne-disque était penchée sur l'une des pages. Un peu intrigué, Jonathan mit l'appareil en marche. Le haut-parleur cracha un peu avant qu'une voix profonde ne commence à parler en une langue que Jonathan ne reconnut pas. Étonné, il découvrit que l'aiguille du tourne-disque avançait sur la page du livre, et que ce que la voix récitait correspondait à ce qui était inscrit sur ces lignes, comme si elle lisait le livre à haute voix. Jonathan examina l'engin, fasciné, jusqu'à ce que l'aiguille arrive à la fin du paragraphe et passe au suivant, qui se trouvait être un dialogue. L'une des phrases se terminait par un point d'exclamation, mais Jonathan ne devina ce qui allait se passer que trop tard, lorsque la voix qui sortait du haut-parleur se mit à crier. Le bruit fit résonner la pièce entière. Jonathan se hâta d'éteindre l'appareil et regarda autour de lui. Le magasin était toujours aussi désert.

Un peu plus tranquille, il se pencha à nouveau sur l'engin, lorsqu'une voix grinçante venue de nulle part le fit sursauter :

« Si vous n'avez pas l'intention de l'acheter, cessez de jouer avec le tourne-livre ! Il est très fragile ! »

Jonathan se retourna à la recherche du propriétaire de la voix. Du coin de l'œil, il eut l'impression d'apercevoir un mouvement sur le comptoir, mais il n'y avait là qu'un tapis déchiré, une pipe à deux becs, le cirque d'automates et une marionnette ridée à l'allure de lutin.

«Je... je suis désolé, dit Jonathan, hésitant, dans le vide. Je n'avais jamais vu un...

— Tourne-livre», l'aida la voix.

Jonathan fit un bond. La bouche de la marionnette avait bougé. Il s'approcha du comptoir et se mit à l'observer de près.

«Qu'est-ce qu'il y a? J'ai quelque chose sur la figure?»

Jonathan recula précipitamment, ahuri. La marionnette n'en était pas une. Il s'agissait d'un véritable lutin.

L'adolescent n'était pas complètement sûr de ce qu'était un lutin, mais c'était néanmoins le mot qui lui venait à l'esprit à la vue de ce petit être. Sa peau était parcheminée, son nez long et recourbé, ses oreilles pointues, sa tête disproportionnée par rapport au reste du corps. Ses yeux brillants, petits et noirs comme des scarabées, étaient en partie dissimulés par des lunettes dont l'un des verres était cassé, ce qui ne semblait pas le gêner. Deux pauvres mèches blanches pendaient sur ses oreilles; pour le reste, son crâne était complètement chauve. Sa tenue devait avoir été à la dernière mode... plusieurs siècles plus tôt: une redingote râpée et décolorée, et des poignets de dentelle qui avaient cessé d'être blancs depuis très longtemps. Dans l'ensemble, son aspect donnait envie d'attraper un plumeau et de le dépoussiérer.

Le lutin paraissait ne pas s'en rendre compte. Il était assis en tailleur sur le comptoir et observait Jonathan d'un air critique.

«Vous êtes… le propriétaire du magasin? demanda le garçon.

– Pour vous servir. Vous cherchez quelque chose en particulier?

– Heu… oui. Une horloge.

– Ah, une horloge! J'en ai de toutes les tailles et de toutes les catégories, et elles indiquent toutes le temps de l'Extérieur! Vous cherchez une montre, une pendule, ou bien…?

– Non, pas exactement. Je suis à la recherche de l'horloge Deveraux.»

Il y eut un instant de silence.

«Ah, dit finalement le lutin. Cette horloge-là.

– Vous en avez entendu parler?

– Évidemment, mon jeune ami. Tous les habitants de la Cité Occulte connaissent l'existence de cette horloge, même si personne ne l'a vue depuis… (il fit un rapide calcul mental)… environ trois siècles. Mais nous savons également tous qu'il est inutile de la chercher. Tu dois être l'un de ces pauvres naïfs qui viennent de l'Extérieur en s'imaginant qu'ils vont facilement mettre la main dessus.

– Mais elle est vraiment ici, dans la Cité Occulte?

– Sans l'ombre d'un doute. Mais personne ne sait où exactement.»

Jonathan fronça les sourcils. Emma lui avait pourtant dit…

Soudain, le lutin fit un bond en avant, et son nez plein de verrues se retrouva à moins de cinq centimètres de celui de Jonathan. Ce dernier fit un pas en arrière, effrayé.

«Cela fait longtemps que je n'en ai pas vu, siffla le lutin. Tu veux bien me le montrer? Simple curiosité professionnelle, tu comprends.

– Je... je ne sais pas de quoi vous parlez.

– Je parle de l'objet qui te permet de... passer d'un endroit à l'autre... tu vois ce que je veux dire.»

Sans réfléchir, Jonathan sortit l'amulette de sous sa chemise.

«Ça?»

L'adolescent dut s'écarter de nouveau, car le lutin avait une seconde fois esquissé le geste de lui sauter dessus. Il remarqua probablement l'expression inquiète du garçon, car il s'écarta lentement et reprit sa place sur le comptoir, affichant un sourire qui révélait toutes ses petites dents très pointues.

«Excuse mon impatience, dit-il. Tu vois, quand la ville se dédoubla, ils inventèrent ce mécanisme pour pouvoir entrer et sortir. Ils créèrent plusieurs horloges comme la tienne, mais certaines se perdirent par le monde. D'autres furent recueillies par lui et enfermées dans son musée des Horloges... Mais oui», confirma-t-il en remarquant l'expression intéressée de Jonathan. «Toutefois les Seigneurs de la Cité Occulte n'apprécièrent pas tellement qu'il offre des Portes à de simples mortels, avec l'espoir que l'un d'entre eux lui rapporte l'horloge Deveraux. Comprends donc : la Cité Occulte devint une véritable fourmilière de gens qui, comme toi, fourraient leur nez partout en cherchant cette maudite horloge. Les Seigneurs de la Cité ne pouvaient pas tolérer cela, de sorte qu'ils se mirent à confisquer, l'une après l'autre, toutes les Portes qui tombèrent entre leurs mains. Je croyais qu'il n'y en avait plus une seule dans le musée des Horloges; où diable as-tu déniché celle-ci?

– Quelqu'un me l'a donnée dans la Cité Antique, répondit Jonathan. Mais pourquoi parlez-vous de mécanismes, et d'horloges? Ce n'est qu'une simple médaille!»

Le lutin ricana et allongea vers Jonathan une main ridée aux ongles longs et effilés qui ressemblait presque à une patte griffue.

«Ne t'inquiète pas, dit-il lorsque Jonathan recula précipitamment. Je veux juste te montrer ce qu'il y a à l'intérieur de cette "simple médaille".

– Il y a quelque chose dedans?»

Jonathan voulut immédiatement vérifier cette affirmation. Il se mit à palper l'objet jusqu'à trouver un minuscule bouton. Il appuya dessus, et l'amulette s'ouvrit comme un livre.

Le lutin avait raison. Ce que Nico lui avait lancé devant la synagogue, ce qu'il avait porté sur lui tout ce temps et qui lui avait permis, sans même qu'il s'en rende compte, d'entrer dans la Cité Occulte, n'était pas une médaille.

C'était une horloge.

«Voilà pourquoi j'avais l'impression de la sentir palpiter! se dit-il. C'était le mécanisme de l'horloge qui la faisait légèrement vibrer!»

Il la contempla pendant quelques instants, à la recherche de quelque chose d'extraordinaire qui justifie sa capacité à servir de Porte entre les deux visages de la ville.

Oui, cette horloge avait quelque chose de bizarre, quelque chose de dérangeant, mais quoi donc? Elle ressemblait à une petite montre comme tant d'autres. Elle n'était même pas aussi mystérieusement belle que la plupart des pièces du marquis. Et pourtant… Jonathan l'examina sous tous les angles, essayant de comprendre ce qui le mettait mal à l'aise, mais il n'y parvint pas.

« On les appelle des Intertumpus, déclara le lutin.

– Intertumpus ? »

Le petit être acquiesça.

« Tu connais la relation entre la Cité Antique et la Cité Occulte ? Elles sont toutes les deux au même endroit, au même moment, alors que c'est impossible.

– Heu, pas complètement. La physique quantique affirme que…

– Ne m'interromps pas, jeune homme ! Je n'ai pas besoin de mots savants pour t'expliquer l'origine de ce lieu. Es-tu disposé à m'écouter ? »

Jonathan fit un signe affirmatif. Le lutin chercha une position plus confortable sur le comptoir et commença :

« Un jour, j'ai rencontré un mortel comme toi qui me raconta comment il avait découvert le secret de la Cité Occulte. Le fleuve, me dit-il. Je ne compris pas et pensai qu'il s'agissait d'une autre bêtise d'humain. Mais il m'expliqua qu'il avait vu le reflet de la Cité Antique dans le fleuve, sur la rive opposée. Tu saisis ? L'humain avait vu deux villes là où il n'y en avait qu'une seule, et il comprit qu'il était possible que la Cité Antique puisse être en même temps la Cité Occulte, de même qu'une pièce de monnaie a un côté pile et un côté face, ou qu'une feuille a un recto et un verso.

« La véritable explication est un peu plus complexe. En

réalité, les deux villes se trouvent bien au même endroit, mais *pas* au même moment. Jette un coup d'œil à l'horloge que tu tiens entre tes mains. Tu verras que les aiguilles ne s'arrêtent jamais sur une heure exacte. Ce n'est pas une erreur, l'horloge n'est pas détraquée. C'est ainsi que cela doit être, car cette horloge montre le temps de la Cité Occulte, pas celui de l'Extérieur.»

Jonathan approcha de son visage le cadran de l'horloge, suivant le mouvement des aiguilles. C'était vrai. L'aiguille des secondes ne s'arrêtait pas exactement sur les traits marquant les heures, mais juste avant ou juste après. Comme si elle était légèrement déréglée. Ou comme si elle indiquait le temps *entre* deux secondes.

«Tu vois bien, dit le lutin. La Cité Occulte existe dans le temps qu'il y a entre deux tic-tac d'une horloge. D'où le nom Intertempus. Ingénieux, n'est-ce pas? Voilà comment ils ont réussi à rester à l'abri du regard des humains.

— Il est donc très facile d'arriver jusqu'ici, lorsqu'on possède une horloge, récapitula Jonathan. Alors pourquoi le marquis envoie-t-il d'autres personnes à sa place?

— Parce que les Seigneurs de la Cité Occulte lui en ont interdit l'entrée. Le marquis est un… exilé, un proscrit. Et personne, même pas lui, n'oserait braver un tel décret.»

Jonathan s'accouda au comptoir, intéressé.

«Vous pouvez me parler des Seigneurs de la Cité? Qui sont-ils?

— Ohhh! fit le lutin en écarquillant les yeux, il vaut mieux que tu ne te frottes pas à eux. À première vue, ils n'ont pas l'air dangereux, mais crois-moi, ils le sont. Ils ont tout vu, tout. Tu crois que ton espèce a réalisé des prouesses ? Quand les humains arrivèrent sur la Lune, quand ils inventèrent les avions, quand ils illuminèrent les nuits, quand ils apprirent à écrire, quand ils découvrirent l'usage du feu, quand ils commencèrent à parler, et même quand ils descendirent des arbres... *Ils* étaient là.

– Je... je ne comprends pas.

– Alors autant que j'arrête là mes explications, répliqua le lutin, agacé. Tu ne brilles pas par ton intelligence, toi, pas vrai ?

– Parlez-moi de l'horloge Deveraux », continua Jonathan sans se vexer. Il avait enfin trouvé une bonne source d'information, et il n'était pas question de la laisser s'échapper. « Qu'a-t-elle de si spécial ?

– Franchement, je ne l'ai jamais vue de mes propres yeux, donc je ne saurais trop te dire... mais on chuchote qu'elle contient un secret fabuleux. Voilà pourquoi certains la cherchent de toutes leurs forces et les autres se donnent tant de peine pour la cacher.

– Et on ne peut pas s'en approcher ?

– Mais tu m'as écouté, ou pas ? Je t'ai dit que ce sont *eux* qui la gardent !

– Et comment peut-on arriver jusqu'à *eux* ? »

Le lutin soupira, et reprit patiemment :

« On ne peut pas arriver jusqu'à eux. À moins qu'eux ne viennent à ta rencontre, bien entendu. Nom d'une pipe, gamin, ce sont les Seigneurs de la Cité Occulte ! Ils savent que tu es ici, ils le savaient bien avant que tu ne le saches toi-même. Ils savent tout de toi. Ils sont peut-être en train de t'observer en cet instant même. Tu ne peux pas les surprendre. S'ils ne veulent pas se laisser voir, tu ne les rencontreras jamais.»

Jonathan se redressa et essaya de réfléchir. Emma lui avait dit que l'horloge Deveraux n'était pas dans la Cité Occulte, mais de toute évidence elle s'était trompée. Il essaya de rassembler les faibles pistes qu'il possédait.

«Vous connaissez le Faiseur d'Histoires?

– Oui, répondit le lutin. C'est un humain, un fou, comme toi. Ils lui ont laissé la vie sauve parce qu'il était distrayant. À présent, il est incapable de distinguer la réalité de l'imaginaire.

– Où puis-je le trouver?»

Le lutin ricana, sarcastique.

«Pourquoi vouloir l'interroger? Pose-lui une seule question et il te racontera une douzaine de contes ayant un rapport plus que vague avec ce que tu lui as demandé. Des histoires intéressantes, ça oui, mais pas une seule histoire vraie. Tu pourrais rester à l'écouter jusqu'à la fin du monde. Mais je ne sais pas où il est, ajouta-t-il en voyant que Jonathan ouvrait la bouche pour répéter sa question. Il déambule ici et là; il est possible que tu le rencontres cette nuit même.»

Jonathan plissa le front, pensif. Pourquoi Emma avait-elle voulu l'emmener voir un individu pareil? Mais peut-être le lutin exagérait-il.

Il se tournait vers ce dernier pour lui poser d'autres questions quand il se mit sur ses pieds avec agilité et lui adressa un regard plutôt féroce.

«Fort bien, gamin, j'espère qu'après tout ça tu as décidé d'acheter quelque chose…

– Je n'ai pas d'argent.

– Ce n'est pas grave. Si quelque chose t'intéresse, on pourrait faire un échange. J'accepterais fort volontiers cette jolie horloge que tu portes autour du cou, par exemple.»

Jonathan n'avait aucune intention de se séparer de l'horloge, mais il fit mine de regarder les «Objets bizarres de toutes sortes – Bonne kalité et bon marché» qui encombraient le magasin. Soudain, une idée lui traversa l'esprit, et il se retourna vers le lutin avec une telle précipitation qu'il réussit presque à l'inquiéter.

«Vous ne seriez pas le Bateleur, par hasard?

– Le Bateleur? De quoi parles-tu?

– Je veux dire…» Jonathan essaya de se remémorer ce que la Tireuse de Cartes avait dit à propos de ce personnage destiné à montrer au Fou son véritable chemin. «Est-ce vous qui avez inventé tous ces… toutes ces choses?

– Moi? Pour qui me prends-tu? Comme si je n'avais pas mieux à faire!»

Il avait l'air vexé, et Jonathan décida d'attendre qu'il se calme un peu.

«Non, gamin, moi je suis un marchand, je vends des objets bizarres, mais je ne les fabrique pas! En revanche, je connais un bonhomme qui, à un moment de sa vie, a dédié tout son temps libre à inventer des trucs de ce genre. Après quoi, ne sachant qu'en faire, il me les a donnés… D'où ce magasin.

– Où puis-je rencontrer cet homme?

– Je ne dirais pas exactement qu'il s'agit d'un "homme"…
Il vit dans une mansarde quelque part, il me semble.

– Dans la Cité Occulte?

– Assez de bavardages! éclata le lutin. Tu achètes
quelque chose, oui ou non?»

Il n'avait plus l'air tellement aimable, et Jonathan recula
d'un pas. Le lutin se balançait sur le bord du comptoir,
comme s'il se disposait à sauter sur le garçon d'un moment à
l'autre. Ses yeux brillaient d'une lueur sinistre, et il montrait
toutes ses dents.

«Heu… Je ne crois pas…, balbutia Jonathan. Je suis
désolé de vous avoir fait perdre votre temps.

– C'est du temps, alors, que tu as utilisé, et tu dois le
payer!» exigea le lutin en pointant un doigt osseux en direction de Jonathan. «Donne-moi ton horloge-porte!»

Jonathan couvrit le médaillon de sa main.

«Je ne peux pas, dit-il. J'en ai besoin pour trouver l'horloge Deveraux.»

Le lutin grinça des dents et bondit.

Jonathan était déjà près de la porte. Il l'ouvrit à toute
volée – la corneille mécanique poussa un autre croassement –
et il sortit en courant, sans se retourner.

Il entendit longtemps les criaillements du lutin dans son
dos. Finalement, l'obscurité l'avala.

À ce moment précis, Bill Hadley se trouvait dans le com-
missariat de police de la Cité Antique en train de faire un
scandale. L'un des agents, qui bafouillait quelques mots
d'anglais, essayait de comprendre les explications confuses de

l'homme déchaîné assis en face de lui. Il en résultait qu'il devait trouver une horloge antique avant l'aube, et que c'était pour cette raison qu'il avait réveillé tout le couvent en cognant et tambourinant à la porte, avant d'essayer d'appâter les bonnes sœurs avec une liasse de billets de banque pour qu'on le laisse examiner les riches objets de l'exposition.

L'agent était déconcerté. Hadley avait été arrêté pour scandale et tapage nocturne, mais il avait nettement l'impression que ce dont il avait vraiment besoin, c'était un long séjour dans un asile de fous.

«Je vous conseille de ne pas vous moquer de moi! vociférait Bill Hadley, le visage rouge brique. Vous ne savez pas qui je suis! Je pourrais acheter toute cette ville si j'en avais envie, alors laissez-moi partir immédiatement si vous ne voulez pas que je m'adresse à mes avocats!»

«Tiens, un autre toqué dans la même série! s'exclama un policier plus âgé quand on lui eut expliqué ce qu'exigeait l'Américain braillard. Ça fait combien de temps que personne n'est venu réclamer cette horloge, Rodriguez?

– Plus de sept ans, je crois. Mais aucun d'entre eux n'a jamais fait un tel scandale, il me semble!»

Hadley continuait à menacer et invectiver tout le monde, sans se rendre compte que les policiers le considéraient tout au plus comme un moustique un peu agaçant. À ce moment-là, quelque chose se frotta contre sa jambe.

C'était un chat noir.

«Fiche le camp!» gronda Bill en lui lançant un coup de pied.

Non seulement le chat ne lui obéit pas, mais il lui sauta

sur les genoux et s'y installa. Hadley le repoussa et se pré-
para à reprendre ses vociférations, lorsqu'il s'aperçut que le
chat avait laissé quelque chose sur ses genoux.

« Qu'est-ce que c'est que ça ? »

C'était une médaille antique, ou quelque chose de semblable. Hadley s'en saisit, curieux.

Soudain, tout changea autour de lui.

CHAPITRE 10

Jonathan entendit à nouveau les aboiements des chiens. Il savait désormais qu'il lui suffisait de lâcher l'horloge-porte pour leur échapper; mais il espérait ne pas avoir à le faire, craignant de ne pas réussir ensuite à retrouver l'amulette.

Son esprit était un peu confus, et la proximité des chiens diaboliques ne contribuait pas précisément à lui éclaircir les idées. Emma lui avait parlé du Faiseur d'Histoires, mais le lutin, lui, avait mentionné quelqu'un qui pourrait bien être le Bateleur.

Il se remit à vagabonder. Soudain, les aboiements lui semblèrent provenir d'une rue toute proche. Il s'apprêtait à faire demi-tour, lorsqu'il entendit une voix qui le cloua sur place :

«Vous allez me laisser descendre, oui ou non?»

Le cœur de Jonathan fit un saut dans sa poitrine. Il fut surpris lui-même par sa propre réaction. Il s'était presque résigné à l'idée de ne plus jamais revoir la jeune fille aux tresses rousses, et ne s'était pas rendu compte jusqu'à ce moment-là à quel point cette idée lui déplaisait.

Il se força à rester calme et s'approcha avec précaution de l'angle de la rue.

Ce qu'il vit le glaça.

Deux de ces énormes bêtes hurlaient au pied d'un mur. Elles n'avaient apparemment pas détecté la présence de Jonathan : elles se concentraient sur la petite silhouette colorée assise au sommet, les jambes pendant dans le vide, une expression ennuyée sur le visage.

«Emma!» murmura le garçon, horrifié.

Il croyait avoir parlé à voix basse, mais les chiens se turent instantanément et se tournèrent vers lui.

«Jonathan? demanda Emma. Je t'ai cherché partout, où étais-tu passé?»

Les yeux de l'adolescent étaient fixés sur les molosses, et il ne répondit pas. Les deux monstrueux animaux s'étaient mis à grogner, découvrant toutes leurs dents.

«Je vais les distraire, chuchota-t-il enfin sans les quitter des yeux. Profites-en pour t'échapper.

– Mais, Jonathan...»

Jonathan était désespéré. Emma n'avait pas l'air de comprendre la gravité de la situation. Toujours assise sur le mur, elle observait la scène avec bien plus de curiosité que d'inquiétude.

«Jonathan, ils ne me feront pas de mal! expliqua-t-elle. C'est toi et Personne, l'autre intrus, qu'ils cherchent. Pas moi. Moi je vis ici, tu te souviens?»

Sur ce, Emma sauta agilement du mur, atterrissant juste à côté des chiens. Ces derniers l'ignorèrent totalement.

«Tu vois?»

Son comportement était absurde. D'ailleurs, maintenant qu'il y réfléchissait, Jonathan avait toujours cru déceler quelque chose d'étrange chez la jeune fille. Il s'apprêtait à répondre, mais ce fut le moment que les chiens choisirent pour se lancer sur lui.

Le garçon fit demi-tour et se mit à courir, tandis que les hurlements des chiens s'approchaient. Ce faisant, il essayait d'ôter la chaîne de l'horloge-porte de son cou. Il sentait déjà sur sa nuque l'haleine nauséabonde des bêtes lorsque celle-ci céda enfin. Jonathan la laissa tomber.

Les chiens disparurent instantanément. Le décor parut également changer, imperceptiblement. Tremblant de tout son corps, Jonathan s'assit à côté de l'horloge-porte pour ne pas la perdre de vue. Il ne voulait pas encore la ramasser. Il lui fallait d'abord attendre que les chiens s'éloignent avant de retourner dans la Cité Occulte.

Il appuya son dos contre le mur et respira profondément. Le bruit d'une motocyclette, quelque part dans le lointain, résonna de manière agréablement familière.

Jonathan n'aurait su dire combien de temps il resta dans cette position. Dix, quinze minutes, peut-être une demi-heure. Jusqu'à cet instant, il n'avait pas fait attention à sa propre fatigue. À présent qu'il se sentait momentanément sauf, il se rendait compte qu'il était épuisé.

De plus, il hésitait entre le désir de courir auprès d'Emma et l'horreur que lui inspiraient les implacables animaux. Et le fait d'avoir vu la jeune fille si près de ces chiens ajoutait à sa confusion. Sans qu'il sût pourquoi, cette image d'Emma debout entre les chiens le préoccupait.

Quelqu'un pénétra dans la ruelle au pas de course. Jonathan leva la tête, sur ses gardes, tout en dissimulant l'horloge-porte avec son corps, sans la frôler, mais suffisamment près pour pouvoir l'empoigner et fuir vers la Cité Occulte en cas de besoin.

Le nouveau venu le dévisagea, et ouvrit des yeux démesurés en le reconnaissant.

«C'est toi! gémit-il. Tu es revenu!»

C'était Personne, manifestement terrorisé. Pâle, haletant et le front couvert de sueur, il se jeta sur Jonathan et l'implora :

«S'il te plaît, j'ai besoin d'une Porte! Aide-moi à retourner là-bas, je t'en supplie! Sinon je suis perdu!

— Tu en avais une, de Porte, répliqua Jonathan en le repoussant. Qu'est-ce que tu en as fait?

— Je l'ai égarée! gémit Personne en se tordant les mains. Ou plutôt, c'est un maudit chat noir qui me l'a volée! Je n'arrive toujours pas à y croire, mais c'est vrai! Il m'a sauté dessus dans l'obscurité, et il m'a arraché la médaille du cou!»

Jonathan refusa de se laisser emporter par l'hystérie.

«Pourquoi tiens-tu à retourner dans la Cité Occulte? demanda-t-il calmement. C'est dangereux, tu sais! Ils ont lâché d'horribles chiens qui attaquent les intrus.»

La sérénité de Jonathan était contagieuse, et Personne, légèrement plus calme, s'assit à ses côtés.

«Je suis malade, avoua-t-il. D'une maladie incurable. Les médecins m'ont condamné il y a déjà plusieurs mois... Mais j'ai refusé de me résigner. Je suis jeune, et il me reste

tant de choses à faire! Quand les médecins les plus prestigieux m'ont abandonné, je me suis adressé à des magiciens,
des guérisseurs, des charlatans, des sorciers... J'ai aussi fait la
connaissance d'alchimistes, et j'ai cherché, en vain, la pierre
philosophale. J'ai fouillé la moitié du monde à la recherche
de la source de vie pendant que la maladie me dévorait lentement les entrailles et que la Mort guettait chacun de mes
pas. Je lui ai faussé compagnie à Samarkand, je l'ai bernée à
Teotihuacán, je lui ai encore échappé en Antarctique, et il
s'en est fallu d'un cheveu qu'elle ne m'attrape sur le Kili-
mandjaro. Mais malgré tous mes efforts, je n'ai jamais réussi
à la semer complètement.

« C'est alors que j'ai entendu parler de la Cité Occulte
– la cité des immortels.

« Après une enquête frénétique, je suis parvenu à m'emparer d'une horloge-porte. J'ai employé mes dernières forces
pour arriver jusqu'ici. En fait, je ne devrais peut-être même
plus être de ce monde! Mais la Mort n'a aucun pouvoir dans la
Cité Occulte. Ses actions n'ont d'influence que dans le cadre
de temps que nous connaissons, tu comprends?»

Jonathan acquiesça et prit la parole :

« Il y a quelques heures, j'ai vu une cartomancienne. Elle
m'a tiré les cartes avec un jeu de tarot, et parmi ces cartes il y
avait la Mort, mais aussi un individu nommé le Pendu. Elle
m'a expliqué qu'il s'agissait de quelqu'un qui ne peut avancer parce qu'il a des affaires non réglées, quelque chose qu'il
n'a fait qu'à moitié. Emma dit que le Pendu, c'est toi.

– Qu'est-ce que tu insinues? grogna Personne.

– Elle dit que tu veux encore faire plein de choses, qu'il

est vrai que tu es bien jeune pour mourir, mais que tu vas passer le reste de ta vie à fuir la Mort, de sorte qu'en fin de compte tu ne vas rien faire du tout du temps que tu auras gagné. Tu es bloqué au milieu de ton chemin. Tu ne peux pas reculer. Et la seule chose que tu puisses faire, c'est avancer jusqu'à la Mort. »

Personne se leva d'un bond.

« Tu ne parlerais pas comme ça si c'était toi qui étais sur le point de mourir !

– La Mort tourne aussi autour de moi, cette nuit, répondit tranquillement Jonathan. Et je sais comment tu peux obtenir l'immortalité. Mais le prix est beaucoup trop élevé. »

Personne s'accroupit de nouveau, anxieux.

« Comment ? Dis-le-moi ! »

Jonathan se tut un instant, puis reprit :

« Cela n'en vaut pas la peine.

– Ça, c'est moi qui en décide ! Vas-y, parle ! »

Jonathan soupira et perdit son regard parmi les étoiles.

« Dans la Cité Occulte se trouvent des démons qui t'offrent des sabliers identiques à ceux que possède la Mort.

– Le sablier de notre vie ? Et comment parviennent-ils à les soutirer à la Faucheuse ?

– Je n'en ai pas la moindre idée. Mais attention, ils ne te cèdent pas ton sablier gratuitement. Ils te demandent pour cela des petits services, des faveurs... Je ne sais pas quoi exactement. Je n'ai pas demandé d'explications.

– C'est vrai ? Tu es stupide, ou quoi ?

– Non. Je ne crois tout simplement pas que mourir soit

pire que passer le reste de sa vie asservi aux caprices d'un démon.

– Ça, c'est ton opinion, mais quelque chose me dit que tu pourrais bien changer d'idée si tu étais à ma place. Moi je préfère vivre, peu importent les moyens. Comment puis-je trouver un de ces démons ?

– Si tu te promènes dans la Cité Occulte, je suppose que tu finiras tôt ou tard par en croiser un. Mais crois-moi, ce n'est pas une très bonne idée. Je t'ai déjà parlé des chiens ?

– Oui, tu m'en as parlé.» Personne lança un coup d'œil nerveux par-dessus son épaule. «Je t'en supplie, aide-moi à y retourner. J'ai traversé le monde entier à la recherche d'une opportunité de ce genre. Je ferais n'importe quoi pour ne pas mourir.»

Très lentement, sans le quitter des yeux, Jonathan s'écarta du mur.

Par terre, à côté de lui, l'horloge-porte brillait mystérieusement à la lueur du lampadaire. Personne étouffa un cri et allongea la main pour s'en emparer.

«Tous les deux en même temps, lui dit Jonathan en le retenant. On compte jusqu'à trois.»

Ils échangèrent un regard.

«Un... deux... trois !»

Tous deux touchèrent l'amulette exactement au même moment.

Le changement fut instantané et presque imperceptible. La rue semblait la même, à la différence que l'absence de lampadaires la rendait beaucoup plus obscure.

Mais il y avait un autre détail qui différenciait les deux endroits. Un détail particulièrement horrifiant.

L'un des chiens infernaux se tenait au milieu de la chaussée. Ses yeux rouges et ardents, image de l'enfer même, étaient fixés sur eux.

Avant que l'un des deux jeunes gens ait pu faire le moindre mouvement, le chien leur avait sauté dessus. Jonathan poussa un cri, et lâcha instinctivement l'horloge-porte.

Le chien disparut, mais fut remplacé par une silhouette obscure et mince qui fonça sur eux à la vitesse de l'éclair. La lumière du lampadaire illumina un visage pâle et froid comme le marbre, où brillaient d'insondables yeux noirs. Une gigantesque épée brilla un instant devant Jonathan, qui poussa un autre cri en voyant la Mort abattre son arme.

L'adolescent ferma les yeux et entendit un sifflement.

Puis ce fut le silence.

Jonathan ouvrit lentement les yeux. La Mort se tenait devant lui, froide comme une déesse. Son épée était baissée, et son visage éburnéen dirigé vers quelque chose se trouvant à côté de Jonathan. Il s'agissait de Personne.

Il était mort.

Jonathan tremblait encore lorsque la Mort se pencha pour ramasser sa proie.

« Ne crains rien, dit-elle d'une voix qui n'avait rien d'humain. Cette fois-ci je ne suis pas venue pour toi.

— Où... où est-ce que vous l'emmenez ? » balbutia Jonathan.

La Mort eut un sourire énigmatique.

« N'aie pas trop hâte de le savoir. Tôt ou tard, tu l'apprendras par toi-même. »

Jonathan poussa un profond soupir.

«Je peux vous poser une question? Pourquoi aucun démon ne lui a-t-il offert l'immortalité?»

La Mort lui adressa un regard dont la profondeur donna presque la nausée au garçon.

«Parce qu'il m'appartenait déjà depuis un certain temps, et que le Diable le savait. Le Diable s'intéresse aux vivants, pas à ceux qui sont déjà morts.

— Il est arrivé trop tard dans la Cité Occulte, conclut Jonathan. D'ailleurs... pouvez-vous me dire s'il y a encore beaucoup de sable dans mon sablier?

— Je ne répondrai pas à cette question. Si tu savais combien de temps il te reste à vivre, tu ne ferais plus qu'essayer d'allonger ce temps, même si l'échéance était encore très lointaine. Contente-toi de vivre. C'est là ton travail. Quand ton heure arrivera, je viendrai te chercher. C'est là mon travail. Nous nous reverrons un jour, Jonathan Hadley.»

La Mort recula de quelques pas, tirant derrière elle la forme de Personne. Jonathan remarqua que le corps qu'elle tirait semblait inconsistant, tandis que le cadavre physique de Personne restait près de lui, couché dans la position exacte où il était tombé.

La Mort s'éloigna ainsi jusqu'à se perdre dans l'obscurité et disparaître.

Jonathan se retrouva seul dans la ruelle, à côté du corps de Personne.

Les cloches de la tour du couvent sonnèrent deux heures.

Dans le musée des Horloges, le taureau de l'horloge de Qu Sui toucha les pieds de l'empereur.

Le marquis sourit en observant les mouvements de Jonathan dans le Barun-Urt.

«Il se débrouille bien, admit-il. Il est déjà deux heures, et il est encore en vie.»

Il se retourna vers le corps inerte de Marjorie.

«Malgré tout, ne te fais pas trop d'illusions. Ils ne lui donneront jamais l'horloge, et il est impossible de l'emporter de force. Ce n'est pas pour te faire de la peine, mais je pense qu'il vaut mieux que je sois sincère avec toi. Je ne voudrais pas te donner de faux espoirs.»

Il se tut, comme pour écouter une voix inaudible. Puis il haussa les épaules.

«Que veux-tu, ce n'est pas ma faute. S'ils sont là-bas en ce moment, c'est parce que tu as touché ce que tu n'aurais pas dû. Donc... À ta place, je ferais en sorte que les quelques heures qui te restent soient les plus agréables possible – heures qui ne sont pas nombreuses, soit dit en passant.»

Le marquis se concentra à nouveau sur l'image de Jonathan. Dans le globe de l'extraordinaire horloge chinoise, le visage spectral de Marjorie Hadley s'approcha du cristal de sa prison. Ses lèvres bougèrent, comme si elle avait essayé de parler.

«Un monstre, vraiment? dit le marquis en souriant, sans même se retourner. Allons bon...»

Quelque chose de semblable à une larme intangible brilla sur la joue du fantôme de Marjorie.

CHAPITRE 11

Une fois de plus, Jonathan errait dans la Cité Occulte.

Il avait appelé la police afin que l'on vienne chercher le corps de Personne, mais avait déjà quitté les lieux quand les agents étaient arrivés. L'horloge-porte pendait à son cou tandis qu'il arpentait les rues obscures de ce que Personne avait nommé la « cité des immortels ».

La cité des immortels...

Jonathan avait l'intuition qu'il y avait un rapport entre tout cela et l'horloge Deveraux, mais lequel ?

Personne était venu dans la Cité Occulte dans l'espoir d'y trouver l'immortalité, mais Emma avait affirmé que sa recherche était vaine et que la Mort parvenait toujours à ses fins, ce que les faits avaient prouvé. Qu'en conclure ? Que Personne, et avec lui tous ceux qui avaient tenté ou même avaient réussi à nouer un pacte avec le démon, n'avaient fait que poursuivre un mythe ? Dans ce cas, d'où venait l'expression « cité des immortels » ? Le lutin avait fait une allusion semblable, lui aussi, en mentionnant des êtres intelligents dont l'existence était antérieure à celle de l'homme. Parlait-il des démons ? Pouvait-il s'agir là des « Seigneurs de la Cité » ?

Jonathan avait la sensation que sa tête tournait, et il était mécontent de lui-même. Il soupçonnait qu'il aurait pu en apprendre bien davantage sur cette extraordinaire ville à deux visages si ses questions avaient été plus pertinentes.

Il entendit soudain une voix chantante provenant d'une ruelle latérale, et s'approcha.

« *... Et elle lui dit : "Quelle bonne cachette ! Puis-je passer la nuit ici avec toi ? — Mais les loups hurlent, et la lune s'enfuit, répondit-il. Ne veux-tu pas trouver ce que tu cherches ?" Et le passage se referma, et le dragon s'endormit, et elle s'envola jusqu'à la lumière de l'aurore, la lumière de l'aurore...* »

La voix se tut, et Jonathan se redressa, surpris. Un petit homme maigre et vif se tenait devant lui, donnant l'impression d'avoir surgi de nulle part. Jonathan comprit soudain qu'en réalité l'individu s'était approché normalement, mais qu'il ne l'avait simplement pas remarqué : cette absurde histoire à demi chantée avait provoqué en lui une sorte de transe dont il venait de sortir.

Il observa l'homme à la lumière des étoiles. Il était habillé de manière extravagante, avec des vêtements de styles très différents juxtaposés sans la moindre logique. Sur la tête, en guise de bonnet, il portait ce qui aurait pu être une housse de coussin faite de plusieurs pièces de tissu, complétée par une demi-douzaine de grelots de différentes tailles et formes. Mais ce qui frappa surtout Jonathan, ce furent ses yeux. Énormes et brillants, détonnant dans ce visage sec et osseux, ils attiraient immédiatement l'attention. Le jeune garçon ouvrit la bouche pour lui demander son nom, mais à sa grande surprise il posa une tout autre question : « Comment se termine l'histoire ? »

Le petit homme transférait le poids de son corps d'un pied à l'autre, se balançant avec une telle légèreté qu'il était difficile de suivre ses mouvements.

« Quelle histoire ? » demanda-t-il d'une voix haut perchée.

Pour la deuxième fois, Jonathan eut l'intention de lui demander son nom, mais s'entendit répondre :

« Et elle s'envola jusqu'à la lumière de l'aurore, la lumière de l'aurore... Qu'est-ce qui se passe après ?

– Ah, celle-là ! sourit l'étrange personnage. *Et elle s'envola jusqu'à la lumière de l'aurore, la lumière de l'aurore, et elle bâtit une maison au sommet d'un arbre ; le sixième jour, elle reçut une visite. "Qui vient ainsi me trouver ? – J'ai traversé le désert, lui dit-il, afin d'obtenir de toi un baiser." Mais elle ne le laissa pas entrer. "Et toi, que m'offriras-tu ? M'as-tu apporté un rire de papillon ? Possèdes-tu un flacon de larmes de roses ? As-tu réussi à recueillir les songes d'une fée ? Me montreras-tu la couleur de ton âme ?" Et il lui offrit un rire de papillon, un flacon de larmes de roses ; il lui montra les songes d'une fée et la couleur de son âme. Mais elle n'était pas satisfaite. "Donne-moi encore un pétale d'étoile", exigea-t-elle. Et il baissa la tête, le cœur rempli de tristesse. "Je ne peux pas te donner ce que tu m'as demandé. Ignores-tu que les étoiles n'ont pas encore fleuri ?"* »

Le petit homme se tut soudainement, et Jonathan revint brusquement à la réalité. Ces mots avaient eu un étrange effet calmant sur lui, et son esprit s'était rempli d'images merveilleuses de papillons rieurs et d'étoiles en fleurs. Quand il put à nouveau penser avec cohérence, il dut admettre que cette histoire sans queue ni tête l'avait subjugué au point de lui faire tout oublier. Il secoua la tête. « Quelle folie », pensa-t-il. Mais quelque chose en lui désirait se perdre au cœur de cette folie, et sa bouche formula malgré lui une prière :

« Pouvez-vous me raconter une autre histoire ? En avez-vous d'autres en mémoire ? »

Il se tut, horrifié, et se demanda si ses mots n'avaient formé une rime que par hasard, tout en soupçonnant que non. Le petit homme sourit à nouveau :

« *Oh, toi l'ami qui demande un autre conte*, chantonna-t-il, *apprends qu'il était une fois une mouche féroce qui, quand venait le soir, pleurait des éléphants ailés. Et une pierre qui tombait lui raconta d'infinies merveilles...* »

Jonathan perdit la notion du temps. Il entendit deux, cinq, peut-être cinquante de ces contes absurdes. Quelque chose en eux le fascinait et l'obligeait à écouter encore et toujours, et à en redemander encore plus.

« *... Et la nuit riait, et elle s'enfuit. "J'ai perdu ma tendresse. La lune l'aura-t-elle trouvée ?" Mais la lune dit...*

— Au secours ! »

Jonathan leva la tête et essaya de se secouer.

« La lune appela au secours ? murmura-t-il, étourdi.

— *... la lune dit : "Je n'ai rencontré que ton rythme, mais ta tendresse..."*

— À l'aide ! À l'aide ! »

Jonathan réussit à sortir de sa transe. La voix qui appelait au secours était encore lointaine, mais elle avait réussi à se glisser entre les mots de l'envoûtante histoire.

« Bizarre…, continua Jonathan, encore un peu sonné. Cette voix… »

Il réalisa alors qu'il s'était assis sur le seuil d'une porte, et que le petit homme était à ses côtés. Il se demanda depuis combien de temps il était là.

« … *mais ta tendresse…* », essaya de poursuivre le petit homme. Mais la voix se fit entendre une fois de plus, accompagnée par les aboiements des chiens infernaux, et Jonathan se leva d'un bond.

Son compagnon l'imita.

« *Veux-tu savoir ce qui se passa lorsque le géant dans une jarre tomba?* » demanda-t-il rapidement.

Jonathan se tourna de son côté, intéressé, mais s'obligea immédiatement à se concentrer sur la personne qui appelait à l'aide.

« Je ne peux pas rester », déclara-t-il fermement, soulagé de constater que pour une fois il disait bien ce qu'il avait l'intention de dire. « Tes histoires sont merveilleuses, mais… »

Il s'interrompit soudain.

« Tu es le Faiseur d'Histoires! s'exclama-t-il. Celui qu'Emma voulait m'emmener voir! »

Le Faiseur d'Histoires se mit à rire comme un fou. Les grelots accrochés à son bonnet tintèrent gaiement.

« *Qui donc connaît la chance qu'a l'abeille dans la danse quand elle s'aventure…*

— Non, attends! s'exclama Jonathan. Que sais-tu à propos de l'horloge Deveraux? »

Les yeux du petit homme scintillèrent plus que jamais.

« *Une horloge dissimulant un vrai morceau de temps,* récita-t-il. Écoute, écoute bien ! *Quand le tigre fatal décida de chercher le sourire en cristal...*

– Au secours ! Au secooooouuuuuuuurs ! »

La voix était plus désespérée que jamais ; les aboiements s'étaient rapprochés. Jonathan sursauta, surpris. Cette voix...

« Papa ? »

Il tendit l'oreille. Le Faiseur d'Histoires chantonnait toujours :

« *Le temps, si lent, le temps, avant...*

– Silence ! » ordonna Jonathan.

Mais le petit homme éleva encore plus la voix :

« *Le temps, souvent, le temps, qui ment, le temps...* »

Jonathan se mit à courir.

Longtemps après qu'il eut perdu de vue le Faiseur d'Histoires, ses histoires surprenantes continuaient à créer d'étranges associations d'idées dans la tête de Jonathan : « *L'abeille dansante rencontra la tendresse, et elle lui demanda un sourire de cristal, et le dragon alla le chercher, et il parla à un éléphant féroce qui était tombé dans une jarre...* »

« Ça suffit ! » hurla l'adolescent.

Le silence se fit dans son esprit. Il entendit une nouvelle fois la voix de son père, et s'y accrocha comme à un talisman. Il reprit sa course.

Il l'aperçut enfin en tournant l'angle d'une rue.

Bill Hadley était grimpé sur le toit d'un auvent qui menaçait de céder sous son poids d'un moment à l'autre.

En dessous, trois chiens diaboliques s'acharnaient contre l'auvent dans l'espoir de faire tomber leur proie.

« Papa ? » murmura Jonathan.

Il leva instinctivement la main à sa poitrine pour vérifier que l'horloge-porte était encore là. Il la sentit palpiter sous ses doigts, et se demanda comment diable son père était arrivé à rejoindre la Cité Occulte.

« Papa ! » hurla-t-il.

Bill Hadley leva la tête. Terrorisé, il tremblait de tout son corps.

« Jo... Jonathan ?

— Papa, jette l'horloge-porte loin de toi ! » lui cria Jonathan, ses mains en porte-voix. Les chiens s'étaient retournés vers lui et grondaient de manière menaçante. « Dépêche-toi ! »

Mais il se rendit compte que son père ne comprenait même pas de quoi il parlait, et il n'avait pas le temps de se lancer dans des explications. Il fit demi-tour et prit la fuite.

Il ne tourna la tête qu'une seule fois, afin de vérifier que les chiens le suivaient bien et qu'ils s'éloignaient de son père. Il courait comme un dératé quand dans un virage son pied glissa sur le sol humide, et il se tordit douloureusement la cheville. Il lâcha l'amulette.

Il n'attendit que cinq minutes dans la Cité Antique avant de ramasser l'horloge-porte. La rue se transforma à nouveau. Les aboiements des chiens se faisaient entendre un peu plus loin : ils avaient dépassé Jonathan. Ce dernier reprit son souffle et revint sur ses pas en boitant. Il savait que les molosses ne tarderaient pas à revenir en arrière.

Quand il arriva près de l'auvent, son père était descendu du toit et regardait autour de lui avec angoisse.

« Jonathan ! cria-t-il en apercevant son fils. Qu'est-ce qui se passe ? J'étais en train de parler avec un policier, et tout à coup la pièce a été plongée dans le noir, et une seconde plus tard, il n'y avait plus personne autour de moi ! Et puis ces horribles bêtes...

— Je t'expliquerai, le coupa Jonathan, mais pas maintenant. Il faut que nous cherchions un refuge. Ils vont bientôt revenir. »

Ils se dirigèrent vers la partie centrale de la Cité Occulte, où les ruelles, plus étroites et plus obscures, offraient davantage de possibilités de se cacher.

« Jonathan ! » fit soudain une voix joyeuse.

Jonathan s'arrêta net.

« Emma ! »

Il pouvait distinguer son grand sourire, aussi réconfortant que déplacé au milieu de ce cauchemar. Toujours boitant, il avança vers elle aussi vite qu'il le put, tiraillé entre l'envie de la serrer contre lui de toutes ses forces et la timidité qui le lui interdisait.

Mais ce fut Emma qui se précipita vers lui pour l'embrasser.

« Oh, Jonathan, j'avais tellement peur que les chiens ne t'aient attrapé... Pourquoi es-tu revenu ? C'est trop dangereux, ici ! Tu dois te débarrasser de l'horloge-porte...

— Je t'ai déjà expliqué que je ne peux pas faire ça. Tu sais qui j'ai fini par rencontrer ? Le Faiseur d'Histoires ! C'est un type bizarre, non ? Il m'a retenu longtemps, et... »

Il se tut brusquement et dévisagea Emma. Elle baissa la tête.

«Quoi? Qu'est-ce qu'il y a?»

Jonathan tendit la main afin de caresser des doigts la tempe de la jeune fille.

«Emma, tu étais *blessée*, ici, dit-il d'une voix rauque. Comment est-ce que...?

– Je t'ai dit que ce n'était rien de grave. Mais maintenant...

– Non, attends.» Jonathan passa une nouvelle fois le bout de ses doigts sur la tempe d'Emma. La peau qu'il touchait était parfaitement lisse, sans la moindre cicatrice. «Tu t'es cognée contre le mur du jardin. Tu étais blessée. Tu saignais, et beaucoup!»

Instinctivement, il fit un pas en arrière. Pour la première fois, il commençait à se poser des questions à propos de son amie.

Pour commencer, *qui* était Emma?

Il l'avait rencontrée alors qu'il se croyait encore dans la Cité Antique, et, de ce fait, n'avait jamais complètement réalisé qu'Emma était une habitante de la Cité Occulte.

Jonathan recula encore un peu, les sourcils froncés, ne quittant pas la jeune fille des yeux. Son père, qui n'avait rien compris à cet échange dans une langue inconnue, réalisa alors que quelque chose n'allait pas.

«Qu'est-ce qui se passe? C'est ta copine, non? Je l'ai vue se promener avec toi à travers l'une des horloges de ce maudit marquis», expliqua-t-il quand Jonathan, surpris, se tourna vers lui.

Emma dévisageait Bill avec curiosité.

« Qui es-tu ? lui demanda Jonathan, très sérieux. Comment es-tu arrivée ici ?

– Tu le sais bien, voyons ! répondit-elle. Je vis ici !

– Tu vis dans la Cité Occulte, rétorqua-t-il en l'observant très attentivement. Un lieu peuplé d'êtres extraordinaires. Qui es-tu vraiment ?

– Jonathan, je ne comprends pas ce que... »

Une idée traversa soudain l'esprit du garçon, comme un éclair dans un ciel serein.

« Quel est réellement ton but, dans tout ça ? J'ai toujours cru que tu cherchais à m'aider, mais... J'ai rencontré le Faiseur d'Histoires, celui que tu voulais m'emmener voir. J'aurais pu rester à l'écouter jusqu'à l'aube ! Et ça, tu le savais, n'est-ce pas ? Et tu savais aussi que l'horloge Deveraux se trouvait dans la Cité Occulte ! Tu m'as menti !

– Jonathan...

– J'aurais dû m'en rendre compte plus tôt. Tu me faisais aller et venir à travers la ville, enchaînant les détours inutiles pour me faire perdre du temps. Tu n'as pas arrêté d'insister pour que je retourne dans la Cité Antique. Tu as essayé de me faire croire que l'horloge Deveraux était de l'autre côté, puis de me convaincre de me mettre à l'abri des chiens... Tu voulais que j'abandonne, que je reparte les mains vides. Et pourtant, je t'avais expliqué dans quelle situation se trouvait Marjorie ! »

Emma garda le silence. Jonathan continua.

« Ensuite, je t'ai vue assise sur ce mur, avec les chiens qui hurlaient... Et je n'ai pas réalisé tout de suite que c'était exactement la même scène que sur la carte de tarot : des chiens qui hurlent à la lune. La Lune, c'est toi !

– Mais qu'est-ce que tu racontes ? protesta-t-elle enfin. Je ne... »

Elle se tut en voyant que Jonathan avançait vers elle d'un pas décidé. Il la saisit par les épaules.

« Tout ce que j'ai découvert peu à peu, dit-il lentement, tu le savais déjà. Et tu ne m'as jamais regardé droit dans les yeux. Ç'aurait dû me mettre sur mes gardes. Regarde-moi dans les yeux, Emma. Dis-moi que tu ne sais pas où est l'horloge Deveraux, dis-moi que tu crois qu'elle se trouve dans la Cité Antique, mais cette fois-ci, dis-le-moi les yeux dans les yeux ! »

Emma essaya de se dérober, mais Jonathan avait saisi son menton et l'obligeait à lever la tête.

« Ne fais pas ça, l'avertit-elle. Ne fais pas... »

Mais Jonathan avait déjà plongé son regard dans le sien.

Tout à coup, il se vit en train de tomber dans un puits sans fond, ou au cœur d'un ouragan. Quelque chose l'avait précipité dans un tourbillon insondable qui semblait mener directement au centre du cosmos...

Puis ce qui l'avait entraîné le lâcha, et le garçon se retrouva à nouveau dans une ruelle de la Cité Occulte. Il mit plusieurs secondes avant de revenir à la réalité. Il haletait encore quand il découvrit qu'Emma avait détourné les yeux.

« Tu n'aurais pas dû me regarder comme ça... », lui reprocha-t-elle doucement.

Jonathan recula, horrifié.

«Tu... tu n'es pas humaine», constata-t-il d'une voix rauque.

Elle avait les yeux rivés au sol.

«Je n'aurais pas dû te laisser me regarder comme ça... Cela n'aurait pas dû arriver», insista-t-elle.

Jonathan s'éloigna encore de quelques pas.

«Non, je me doute que tu ne voulais pas que cela arrive, dit-il. Tu ne voulais pas que je me rende compte que ton regard est le même que celui du marquis... Vous êtes semblables! Elle est de la même espèce que le marquis! affirma-t-il violemment en se retournant vers son père.

– Quoi? gronda Bill Hadley. Tu veux dire qu'ils complotent ensemble?»

Jonathan lui attrapa le bras.

«Allons-nous-en.

– Pourquoi? Attends, elle sait sûrement...

– Non, l'interrompit Jonathan d'un ton qui n'admettait pas de réplique. Si tu lui poses des questions concernant l'horloge Deveraux, elle va encore nous mentir. Et nous n'avons plus beaucoup de temps.»

Ce n'était pas la véritable raison pour laquelle il tenait à s'éloigner le plus vite possible d'Emma, mais il craignait que son père ne comprenne rien à ses explications.

Ils s'éloignèrent aussi vite que le permit l'état de la cheville de Jonathan. À chaque pas qui le séparait de la jeune fille, Jonathan sentait que la gangue de fer qui lui enserrait le cœur lui causait une douleur de plus en plus insupportable.

Emma ne tenta pas de les suivre. Mais Jonathan pouvait

sentir son regard sur sa nuque, chargé d'une tristesse d'une profondeur qu'il ne pourrait jamais ressentir lui-même, une tristesse au-delà de la compréhension humaine.

«Emma», dit le marquis.

Il ne quittait pas des yeux le cadran de l'horloge qui montrait la figure immobile de la jeune fille, seule au milieu de la ruelle.

«C'est comme ça que tu te fais appeler, maintenant, murmura le marquis, un sourire aux lèvres. Que dois-je penser de toi? Tu as protégé la vie de mon paladin, mais tu t'es efforcée de l'éloigner de son objectif. Je n'ai aucun mal à deviner pourquoi. Tu as toujours été tellement sentimentale...»

Il se caressa le menton, pensif. Sur un froncement de ses sourcils, l'image de l'horloge changea. Le cadran lui montrait désormais Jonathan et Bill Hadley en train d'avancer dans la Cité Occulte.

«Tu es allé plus loin que je ne l'aurais cru, Jonathan, dit-il. Mais il ne te reste plus beaucoup de temps...»

CHAPITRE 12

Les chiens avaient envahi la ville.

Le chœur des aboiements s'était fait assourdissant. Des ombres déformées se projetaient sur les parois des maisons, des yeux rouges brillaient dans l'obscurité des multiples recoins, renfoncements et cachettes des rues de la Cité Occulte.

Réfugiés dans une cave sombre et humide, Jonathan et son père retenaient leur souffle. Ils avaient barricadé la porte, une porte tellement étroite que les chiens n'arriveraient pas à se glisser à travers l'embrasure même s'ils parvenaient à l'enfoncer. Tremblant de peur malgré tout, Jonathan entendait les bêtes féroces gronder et griffer le bois, tandis qu'il s'efforçait d'oublier la douleur que lui causait sa cheville droite. Pour le moment, ils étaient saufs.

Saufs, certes, mais aussi prisonniers. Et le temps s'écoulait inexorablement.

Devant leur impuissance, le père et le fils s'étaient mutuellement raconté ce qui leur était arrivé depuis leur séparation, la veille au soir, à six heures, dans la demeure du marquis.

« C'est une histoire complètement absurde, conclut Jonathan. Je ne suis pas encore sûr de tout comprendre. Une seule chose est certaine : ce ne sera pas facile de se sortir de là. »

Bill secoua la tête, désolé.

« Ce n'est pas possible, dit-il. Ça ne peut pas être vrai. Ce sont des hallucinations, ou alors quelqu'un est en train de nous jouer un tour... Mais tu sais quoi, Jon ? En fait, je m'en fiche. Ce qui m'embête, c'est que je n'aurais jamais dû entrer dans le jeu du marquis. J'ai laissé Marjorie seule avec lui, et maintenant nous sommes enfermés ici... J'aurais dû l'emmener à l'hôpital !

– Mais, Papa, son âme est prisonnière du globe – tu l'as vue toi-même !

– Bon, admettons. Supposons que ce soit le cas, même si c'est complètement inconcevable. Mais cette histoire selon laquelle nous n'aurions que douze heures, et que seule cette horloge pourrait sauver Marjorie... Comment est-ce que nous pouvons être sûrs que le marquis nous a bien dit la vérité ? »

Jonathan voulut répondre, mais ne trouva rien à répliquer. Si Emma avait menti, pourquoi pas le marquis ?

« Je vais te dire ce qui s'est passé, continua son père. Nous avons eu la frousse, nous avons fait tout ce qu'il a voulu... Nous nous sommes comportés comme des imbéciles ! »

Ses épaules furent secouées par un sanglot désespéré.

Jonathan soupira.

« Nous n'aurions rien pu faire d'autre, Papa. Crois-le ou

non, ces gens-là ne sont pas humains. Il suffit de les regarder dans les yeux pour s'en rendre compte. C'est pour cela qu'Emma évitait de le faire. Je ne sais pas qui ils sont, ni même ce qu'ils sont... mais ce qui est certain, c'est qu'ils nous ont manœuvrés comme des pions sur un échiquier. »

Il appuya son dos contre le mur. Pendant un long moment, seuls les grondements des chiens et leurs efforts pour démolir la porte troublèrent le silence.

Jonathan pensait à Emma.

Depuis leur dernière rencontre, une profonde tristesse s'était emparée de lui, et elle ne semblait pas disposée à le quitter de sitôt. Jusqu'ici, Jonathan avait cru qu'elle n'avait pour cause que sa découverte de la trahison d'Emma. Mais il y avait aussi autre chose.

Il cacha son visage entre ses mains. Il *savait* qu'Emma n'était pas humaine. Aucun être humain ne pouvait avoir ce regard profond comme le cosmos, terrible comme la colère divine.

Mais il savait aussi qu'il ne pourrait pas oublier son sourire et qu'elle lui manquerait terriblement.

Il secoua la tête, se répétant qu'il ne pouvait pas être tombé amoureux, pas aussi vite, pas de quelqu'un d'aussi étrange.

Mais son cœur, lui, clamait que, quoi qu'il en dise, il ressentait plus que de l'amitié envers elle. Et c'était là ce qui lui faisait le plus mal. Car il était désormais évident qu'ils n'avaient jamais été semblables, et qu'au fond Jonathan n'était pas très différent de ces chiens qui hurlaient face à une Lune lointaine et inaccessible.

«Jonathan, intervint soudainement son père, nous ne pouvons pas rester ici. Nous devons nous débarrasser de ces... comment dis-tu?

— Horloges-portes, répondit Jonathan à mi-voix.

— Voilà. Si ce que tu racontes est vrai, nous nous retrouverons de nouveau dans la Cité Antique, et il n'y aura plus ces affreuses bêtes pour nous tourner autour, n'est-ce pas? Du coup, nous pourrons aller retrouver Marjorie.

— Mais, Papa, l'horloge Deveraux est ici!

— Encore une fois, comment savoir si cette fichue horloge peut vraiment faire quelque chose pour elle? Et si le marquis nous avait raconté des salades?

— S'il nous a menti, alors Marjorie ne mourra pas à l'aube, répondit calmement Jonathan. Auquel cas il n'y a aucune raison de se dépêcher de rentrer. Mais suppose un instant que le marquis ait dit la vérité. Personnellement, je n'aimerais pas rentrer les mains vides avant que le délai n'ait expiré, en sachant que je n'ai pas fait tout mon possible jusqu'à la dernière minute. Je me sentirais coupable pour le restant de mes jours. Pas toi?»

Bill hésita.

«C'est de la folie, marmonna-t-il. Ses épaules se courbèrent à nouveau. Je n'aurais jamais...

— Chut! l'interrompit son fils. Tu as entendu?»

Tous deux tendirent l'oreille. Malgré les aboiements et les grognements des chiens rassemblés dans la rue, ils perçurent clairement une légère toux et un bruit de pas quelques étages au-dessus de l'endroit où ils se trouvaient. Jonathan et son père échangèrent un regard.

« Je vais monter, dit Jonathan. Mais je pense que toi, tu devrais retourner auprès de Marjorie. Au cas où...

– Pas question. Nous y allons tous les deux.»

Jonathan secoua la tête.

«Non, Papa. Moi, je reste.»

Bill fronça les sourcils.

«Certainement pas. Tu vas...

– J'ai dit : je reste», répéta Jonathan d'une voix ferme.

Bill, surpris, eut un moment d'arrêt. Où était le garçon gauche et un peu peureux qu'il connaissait ? Jonathan, qui jamais auparavant n'avait osé s'opposer à son père, le regardait à présent d'un air décidé, avec une maturité et une sérénité nouvelles.

«Dans ce cas, je reste avec toi, réussit-il à bredouiller.

– Non, Papa. Quoi qu'il arrive, il faut que quelqu'un soit aux côtés de Marjorie à l'aube. Si le marquis nous a menti et qu'après six heures rien n'a changé, emmène-la à l'hôpital. S'il a dit la vérité...» Il fit une pause. «S'il a dit la vérité et si je ne réussis pas à revenir avec l'horloge, alors il faut que tu sois près d'elle le moment venu.

– Voyons...

– Mais je la trouverai, cette horloge ! promit Jonathan avec une certaine rage. Ils en ont assez fait. Je ne vais pas les laisser continuer à jouer avec moi.»

Son père sentit que, pour la première fois, la volonté de Jonathan était plus forte que la sienne. Il céda.

«Bonne chance, mon fils», murmura-t-il en lui tendant l'amulette.

Jonathan prit l'horloge-porte qu'il avait vue auparavant

dans les mains de Personne. Après une brève hésitation, Bill la lâcha.

Il disparut immédiatement.

Jonathan était seul.

Il jeta un coup d'œil vers la porte sur laquelle s'acharnaient encore les chiens infernaux, puis se dirigea en boitant vers les escaliers qui menaient aux étages supérieurs. En levant la tête, il crut distinguer une brève lueur tremblotante. Il respira profondément et entreprit lentement son ascension.

Dans le musée des Horloges, l'image du cadran de Barun-Urt clignota un instant, puis disparut.

Comprenant immédiatement ce qui se passait, le marquis sourit. Il se retourna vers l'horloge de Qu Sui.

«Eh bien, Marjorie, il semblerait qu'ils aient décidé de le laisser s'approcher d'eux. Malheureusement, cela veut dire que je ne pourrai plus le voir. Il va donc falloir nous résigner à ignorer comment les Seigneurs de la Cité vont traiter le petit Jonathan. Je regrette de devoir te dire qu'ils font rarement preuve de clémence envers les personnes qui se mettent avec autant d'insistance au travers de leur chemin.»

Le visage de Marjorie se fit de nouveau voir au travers du cristal. Elle paraissait plus pâle et spectrale que jamais.

«Je suis vraiment désolé, dit le marquis. Il ne te reste plus beaucoup de temps, et je ne crois pas qu'il serait raisonnable d'espérer que Jonathan revienne avec l'horloge. En fait, ce sera déjà un miracle s'il revient...»

Le dernier étage du bâtiment était un grenier aménagé dont la porte était ouverte. Jonathan s'immobilisa sur le seuil et inspecta les lieux.

La mansarde, illuminée par une unique bougie, était pleine à craquer de vieux meubles et d'objets variés, parfois recouverts de housses protectrices râpées et poussiéreuses. La bougie créait plus de zones d'ombre qu'elle ne projetait de lumière, et Jonathan ne remarqua pas tout de suite la personne qui se tenait à côté de la fenêtre, penchée sur un long objet cylindrique – un télescope.

Le jeune garçon s'avança sans faire de bruit et se cacha derrière un énorme piano à queue d'où il pouvait observer l'homme à loisir. Celui-ci lui parut petit et ramassé sur lui-même et il distingua des mèches de cheveux blancs retombant sur ses épaules. Il n'eut cependant pas le temps de pousser plus loin ses observations.

« Une tasse de thé ? »

Jonathan sursauta. L'homme s'était retourné et le regardait, amusé. Il était vêtu de pantalons bouffants couleur terre et d'une chemise à la coupe atypique, descendant légèrement plus bas que sa ceinture. En le voyant de face, Jonathan se rendit compte qu'il était beaucoup plus jeune que ses cheveux blancs ne le laissaient supposer.

« Tu ne veux pas sortir de là ? À ton aise, mais dis-moi au moins si tu acceptes ma tasse de thé. »

Se sachant découvert, Jonathan abandonna sa cachette.

« Veuillez m'excuser. Je vous remercie de votre offre, mais vu les circonstances, je crains de ne rien pouvoir avaler. »

Sa propre réponse le surprit. Quelques heures auparavant,

dans une situation semblable, il aurait bredouillé une excuse maladroite, en rougissant jusqu'à la racine des cheveux.

« Je comprends, Jonathan. Approche-toi, quoi qu'il en soit. Je suis à toi dans une minute. »

Le fait que l'inconnu connaisse son nom ne surprit aucunement Jonathan. Il fit deux pas en avant, pas plus, ne souhaitant pas trop s'éloigner de la porte. L'homme s'affairait à nouveau autour de son télescope et terminait ses réglages. Jonathan l'entendit murmurer :

« Oui... c'est ça... très bien. Ne bouge pas, ma jolie. Voyons... »

Il lâcha l'instrument et s'approcha d'une table sur laquelle, à côté de la bougie, reposait un énorme livre. L'homme s'inclina pour y écrire quelque chose.

« Étoile numéro 87 432 004 556 342, dit-il. Nom... » il mordilla le bout de sa plume, pensif, et son regard se posa sur Jonathan, qui recula instinctivement d'un pas. « Oui, pourquoi pas ? murmura-t-il en recommençant à écrire. Non, attends... Si ma mémoire est bonne, c'est déjà le nom de l'étoile numéro 49 876 326 899. Que faire ? Ah, je sais, il suffit de changer une lettre. » il se pencha à nouveau pour écrire. « Voilà. Étoile numéro 87 432 004 556 342, nom Jenathan. Il arrive forcément un moment où tous les noms connus ont déjà été utilisés, et pourtant, une étoile est quelque chose de bien trop beau pour être baptisée d'un simple numéro, n'est-ce pas ? »

Il reposa la plume sur la table, apparemment satisfait de lui-même, et se tourna vers le garçon.

« Je suis très fier de ce télescope. Depuis que je l'ai

construit, il me permet de voir chaque nuit un peu plus loin, et de découvrir de nouvelles étoiles. L'Univers est réellement prodigieux, tu ne trouves pas? Cela fait longtemps que j'observe le ciel, et j'ai déjà recensé 87 432 004 556 342 étoiles, mais je n'ai pas encore aperçu les limites du cosmos.

— Vous ne pouvez pas avoir recensé autant d'étoiles, protesta Jonathan. Enfin, je veux dire...

— Je sais exactement ce que tu veux dire, l'interrompit l'homme. Mais Jonathan, si tu avais passé tes dernières trois mille années à ne rien faire d'autre que compter des étoiles toutes les nuits, selon toutes probabilités tu en aurais trouvé tout autant, et peut-être même plus, ajouta-t-il en fronçant les sourcils, parce qu'il m'arrive encore, de temps en temps, d'être dérangé par quelqu'un qui veut absolument que je fabrique quelque chose, alors que tout le monde sait que j'ai arrêté depuis plusieurs siècles.»

Jonathan se demanda s'il avait parlé sérieusement.

L'homme se redressa et lui adressa alors un regard aussi profond que celui d'Emma ou du marquis. Jonathan fit un autre pas en arrière, effrayé, sentant que ces yeux bruns contenaient tous les secrets de la terre et qu'il était lui-même trop insignifiant pour en comprendre ne serait-ce qu'une infime partie.

«On m'appelle le Compteur d'Étoiles, poursuivit l'homme, très sérieux. Je suis immortel.»

Jonathan rejoignit précipitamment la porte.

«Tu t'en vas? demanda le Compteur d'Étoiles. Tu t'en vas sans avoir obtenu les réponses que tu es venu chercher?»

Jonathan ne le quittait pas des yeux.

«Comment savoir si je peux vous faire confiance?»

«Je n'ai aucun moyen de te le prouver, répondit l'homme, un léger sourire aux lèvres. Mais vivre, cela suppose d'accepter de prendre des risques, non?»

Jonathan hésita.

«Allez-vous répondre à mes questions? s'enhardit-il. Allez-vous me dire ce que je veux savoir?

– Si tu le souhaites, je te parlerai de nous, les immortels. Je sais que certains d'entre nous n'approuveront pas ma décision. Mais tu es arrivé plus loin que quiconque avant toi, et tu mérites de connaître la vérité. C'est pour moi la seule manière de te faire comprendre la véritable nature de l'horloge Deveraux, et la raison pour laquelle nous prenons tant de peine pour la cacher. Est-ce que ça t'intéresse?»

Pour toute réponse, Jonathan s'avança et prit place dans un vieux fauteuil. Le Compteur d'Étoiles s'installa à ses côtés.

«Nous sommes immortels, commença-t-il. La Mort ne touche que ceux qui vivent à l'intérieur du Temps. Mais nous, tout comme elle, sommes nés avec le Temps, et non en son sein. Nous sommes liés à lui.»

Jonathan se remémora soudain une série de petits détails: la Mort passant juste devant Emma, comme si elle ne l'avait pas vue; l'expression de son amie lorsque l'image de la Mort était apparue sur la table de la Tireuse de Cartes («C'est juste que je n'ai jamais eu cette carte», avait avoué Emma, parfaitement candide).

«Mais comment...?» intervint le jeune homme. Les mots ne voulurent pas sortir.

«Mes premiers souvenirs remontent à la naissance de

l'Univers, dit le Compteur d'Étoiles. Nous étions tous présents pendant ce miracle. Pendant des siècles, des millénaires, nous avons vu le cosmos en train de prendre forme, nous avons observé la naissance des étoiles et des corps célestes. Nous étions là.

«Peu à peu, nous nous sommes dispersés. Certains d'entre nous arrivèrent sur ce qui, plus tard, allait devenir la planète Terre. Nous fûmes témoins des débuts de la vie à sa surface, et nous essayâmes d'occuper les premiers corps animés.

«Bien entendu, après des millions d'années, il devint évident qu'aucun organisme n'était aussi complexe que celui de l'être humain, et nous prîmes la décision de nous incarner dans des corps d'hommes et de femmes.

«Depuis lors, nous parcourons le monde. Quelques-uns d'entre nous se dissimulent aux êtres humains. D'autres apprécient leur compagnie. Certains tentent même de les imiter, avec plus ou moins de succès.

«Nous connaissons les autres créatures intelligentes qui peuplent la Terre – des créatures qui se cachent des humains, mais dont ces derniers conservent la mémoire dans leurs contes et légendes. Je fais référence aux lutins, nymphes, fées, et tous les êtres que les humains considèrent comme mythologiques. Mais aucune de ces espèces, même parmi les plus anciennes, n'est née avec le Temps, comme nous.

– Alors, vous êtes... des dieux? demanda Jonathan, impressionné.

– Non. Nous ne sommes pas des dieux, même si au cours de l'Histoire plusieurs civilisations nous ont considérés comme tels. Nous avons vu la naissance de l'Univers, mais nous ne l'avons pas provoquée. Nous avons assisté aux débuts de la vie, mais nous ne l'avons pas créée. Nous sommes uniquement des observateurs.

— Mais vous avez des pouvoirs magiques ! Vous avez créé cette ville, par exemple !»

Le Compteur d'Étoiles rit doucement.

«Ce que tu appelles des "pouvoirs magiques" est le fruit de nos connaissances, et non un don inné. Nous avons passé des millions d'années à étudier l'Univers. Notre savoir est incommensurable par rapport au vôtre. Pour vous, cela ressemble à de la magie, tout comme un homme du Moyen Âge serait abasourdi face aux progrès du XXIe siècle, ou comme un jeune enfant ne peut pas prétendre connaître le monde aussi bien qu'un homme mûr.

«Nous avons eu beaucoup de temps pour apprendre à connaître les secrets de l'Univers. Nous avons exploré le moindre recoin du monde, et nous avons atteint toutes les limites, dans tous les domaines. Certains d'entre nous ne savent plus quoi faire. C'est aussi ce qui t'arriverait, si tu avais vécu aussi longtemps.

«Regarde-moi, par exemple. Pendant un temps, je me suis mêlé aux hommes, et je les ai émerveillés avec mes inventions. J'ai été pris tour à tour pour un alchimiste, un sorcier, un démon, un mystificateur, un demi-dieu.

— C'est vous qui avez fabriqué les objets vendus dans la boutique des objets bizarres ?

— Une grande partie d'entre eux, oui, soupira le Compteur d'Étoiles. Mais cela fait déjà un certain temps que j'ai arrêté. Depuis, je compte les étoiles. C'est un travail suffisamment long pour m'occuper encore un ou deux millénaires. Après, il me faudra trouver autre chose. Peut-être dénombrer les grains de sable de tous les déserts, ou les gouttes d'eau de tous les océans. Qui sait?

– Pourquoi ne recommencez-vous pas à inventer de nouveaux objets? Pourquoi avez-vous arrêté?»

Le Compteur d'Étoiles garda le silence pendant un moment.

«À cause de l'horloge de Qu Sui», dit-il enfin à voix basse.

Jonathan fit un bond sur son siège.

«C'est vous qui êtes à l'origine de l'horloge de Qu Sui?

– Oui et non. C'est moi qui ai construit l'horloge pour l'empereur. Nous autres immortels avons toujours ressenti de la fascination pour les horloges. C'est une invention humaine, mais nous en avons créé des variantes bien plus avancées. J'étais particulièrement fier de l'horloge de Qu Sui. Mais ce fut avant qu'un *autre* vienne ajouter ce globe monstrueux.

– Un autre? Mais le marquis m'a dit...

– Je peux facilement imaginer ce que t'a dit le marquis. Mais ce n'est pas vrai. C'est moi qui ai construit l'horloge, et c'est le marquis lui-même qui a ajouté le globe.

«L'être qui se fait appeler "le marquis" a toujours ressenti un profond mépris envers les humains, qu'il considère comme des êtres inférieurs. Cela fait longtemps qu'il s'amuse à jouer avec le désir d'immortalité qui tenaille les hommes. Il arriva à la cour impériale chinoise après mon départ, et proposa d'"améliorer" l'horloge pour que celle-ci fonctionne éternellement.

« Quand j'appris comment il avait détourné l'une de mes plus belles inventions, je perdis tout désir d'inventer des objets extraordinaires. Je ne le fais plus que très occasionnellement. Les horloges-portes ont été mon ultime contribution ; en effet, j'ai toujours été contre l'idée de nous séparer complètement des humains. Mais je sais que le Conseil n'était pas du même avis et les a toutes confisquées une par une. Si je ne me trompe pas, les deux qui sont en ta possession sont les dernières qui existent. »

Jonathan ne demanda pas comment le Compteur d'Étoiles savait qu'il détenait deux horloges-portes.

« Et l'horloge Deveraux dans tout ça ? »

Le Compteur d'Étoiles secoua tristement la tête.

« Sais-tu comment naquit la Cité Occulte ? Nous la créâmes nous-mêmes. Nous créâmes une distorsion dans l'espace-temps pour que ce lieu demeure invisible aux yeux des humains. Et tout cela, nous le fîmes pour protéger l'horloge Deveraux. »

Jonathan s'apprêtait à poser une question, mais le Compteur d'Étoiles leva la tête et dirigea son regard vers la porte.

Dans l'embrasure de celle-ci se détachait la silhouette d'Emma.

« Ils nous attendent, Compteur d'Étoiles », dit-elle à mi-voix en évitant de poser les yeux sur Jonathan.

Le Compteur d'Étoiles acquiesça. Il ramassa une cape usée qui pendait sur le dossier d'une chaise et la mit sur ses épaules.

«Allons-y, Jonathan.

– Où? voulut savoir le garçon.

– Là où tu trouveras la réponse à ta question.»

Quatre heures sonnaient. Sur l'horloge de Qu Sui, le tigre s'inclina devant l'empereur.

CHAPITRE 13

« Le Compteur d'Étoiles a demandé à ce que Jonathan Hadley passe en jugement », dit la femme.

Jonathan se recroquevilla dans son siège. Il se trouvait dans une salle aux plafonds hauts, devant une gigantesque table ronde autour de laquelle étaient disposés sept fauteuils. Seuls cinq d'entre eux étaient occupés, mais on avait avancé au garçon une chaise supplémentaire, plus petite, comme pour souligner l'absence des deux personnes qui auraient dû occuper les fauteuils vides.

Les cinq êtres qui se trouvaient devant lui étaient immortels.

Jonathan n'avait pas besoin qu'on le lui confirme pour le savoir. Même en prenant garde à ne pas regarder dans les yeux les cinq personnes qui l'examinaient avec attention, il avait la tête qui tournait.

La femme assise juste en face de lui, qui présidait visiblement cette étrange assemblée, était albinos. Malgré son aspect très jeune, ses cheveux et ses sourcils étaient blancs. Son regard était dur et froid, et ses gestes sévères ; grande et majestueuse, elle évoquait irrésistiblement une statue de marbre. Son visage lisse et pâle paraissait aussi pur et glacial que le sommet enneigé d'une montagne inaccessible.

À sa droite se tenait un homme de haute stature, dont les cheveux longs et sombres retombaient en vagues sur ses épaules. Ses yeux oscillaient entre le vert, le violet et le bleu indigo, profonds et insondables comme l'abîme de l'océan. Malgré un visage éternellement jeune, il semblait avoir contemplé le mouvement des marées depuis le début des temps.

À gauche enfin était installée une jeune femme aux traits orientaux. Son visage que l'on aurait dit de porcelaine était aussi mystérieux et évocateur que le visage de la Lune. Jonathan l'observa, fasciné, attiré malgré lui; mais quand la femme lui adressa en retour un sourire énigmatique, le jeune garçon se sentit aussi petit et insignifiant qu'une fourmi sous l'immensité du cosmos, et il baissa la tête.

Les deux autres personnes étaient Emma et le Compteur d'Étoiles dont il pouvait percevoir la tension, ce qui ne contribuait pas à le rassurer.

La femme albinos jaugea l'assemblée et reprit la parole.

« L'être humain nommé Jonathan Hadley a pénétré dans la Cité Occulte. Le Conseil a délibéré voilà bien longtemps sur le cas des humains qui oseraient violer notre territoire, et des résolutions ont été prises. Dans ces conditions, à quoi bon demander un jugement ? »

Emma échangea un regard avec le Compteur d'Étoiles, puis répondit :

« Tes affirmations sont exactes, Zaltana, mais je te rappelle que ni le Compteur d'Étoiles ni moi-même n'étions d'accord avec cette décision à l'époque où elle a été prise. Les humains agissent souvent par ignorance, sans savoir ce que nous tentons de sauvegarder. Avons-nous le droit de les assassiner alors qu'ils franchissent une limite dont ils ne connaissent même pas l'existence?»

Jonathan sentit un frisson le parcourir et se tourna vers le Compteur d'Étoiles, mais ce dernier, parfaitement impassible, avait les yeux fixés sur Zaltana.

«Votre objection avait été prise en compte, Emma, répliqua Zaltana. Vous aviez observé que de nombreux humains venaient ici uniquement à la recherche de l'immortalité. Nous avons donc permis que quelques démons s'installent dans la Cité Occulte et offrent l'immortalité aux humains qui la recherchaient avec tant d'ardeur, en espérant qu'ils feraient rapidement demi-tour une fois leur but atteint. Mais qu'en est-il des humains qui ont été envoyés par le marquis, et qui sont venus expressément à la recherche de l'horloge Deveraux? Comment pouvez-vous prêcher la clémence envers ceux-là?

– Les humains ne savent pas ce qui est en jeu! protesta Emma. Le marquis les trompe, il les utilise à ses propres fins! Ils n'y sont pour rien!

– Tu nous as déjà dit cela plus d'une fois, Emma. Tu as affirmé qu'il n'était pas nécessaire de sacrifier les humains, qu'il suffisait de les tromper et de s'assurer qu'ils repartiraient les mains vides... Mais en l'occurrence, tu as échoué.

– Vous avez lâché les chiens trop tôt! se défendit Emma. Je vous avais dit que je me débrouillerais pour occuper

Jonathan jusqu'au matin! Mais à cause de la Chasse, je l'ai perdu de vue, et...

— Nous savons tous que tu n'es pas objective, Emma, l'interrompit l'homme aux yeux marine. Tu as toujours été fascinée par les humains, et tu n'as jamais cessé de les défendre. Tu n'as jamais cessé de les observer depuis qu'ils ont acquis la parole. Tu essaies même de leur ressembler!»

Jonathan ne put s'empêcher de jeter un coup d'œil à Emma. Pour la première fois, il comprit ce qui l'avait frappé la première fois qu'il l'avait vue.

Emma avait l'apparence d'une jeune fille d'une quinzaine d'années, mais elle s'habillait comme une gamine. Son compagnon avait raison: Emma semblait vouloir imiter les coutumes des humains, mais sans complètement les comprendre. Voilà pourquoi elle n'était pas parvenue à trouver une tenue adaptée à l'âge qu'elle avait l'air d'avoir. Les modes humaines vont et viennent bien trop rapidement pour la perception d'un immortel.

Jonathan poussa un profond soupir. La lumière des bougies jouait avec les reflets cuivrés des tresses d'Emma et projetait des ombres étranges sur son visage. Cette fois, la jeune fille ne souriait pas. Elle avait adopté une expression indéchiffrable, sereine et énigmatique, une expression qui rappelait celle des sphinx, une expression jamais vue sur un visage humain.

Jonathan sentit son cœur se serrer. Emma l'intimidait et l'attirait en même temps. Il s'était senti vraiment proche d'elle, mais à présent, à chaque instant l'abîme qui les séparait se faisait plus profond. Il ne supportait pas de l'entendre parler des «humains». Cela lui rappelait trop qu'elle n'en faisait pas partie.

«Les humains ont une vie très courte, Arnav, était-elle en train de dire doucement. Leurs sentiments sont donc beaucoup plus intenses que les nôtres. Jonathan Hadley a risqué sa vie pour sauver l'âme de sa belle-mère. Et nous, nous récompensons ce dévouement en lâchant les chiens contre lui !

– Qu'attendais-tu de nous ? demanda sèchement Zaltana. Que nous lui remettions l'horloge Deveraux ?

– Non. Mais je crois que nous lui devons une explication.

– Et c'est pour cela que tu as réuni le Conseil ? demanda la jeune Orientale.

– Non, Ming Yue, intervint le Compteur d'Étoiles. Nous avons réuni le Conseil parce qu'il est temps de prendre une décision. Nous ne pouvons pas nous cacher éternellement. Nous savons tous qu'avoir une éternité devant soi, c'est très, très long...»

Zaltana perdit très brièvement son impassibilité, puis elle se ressaisit.

«Que proposez-vous donc ?

– D'abord, je pense que nous devons expliquer au jeune Jonathan pourquoi il est ici aujourd'hui.»

Il y eut un bref silence. Les immortels échangèrent des regards. Arnav secoua la tête, mais Ming Yue haussa les épaules.

«D'accord», approuva Zaltana.

Immédiatement, quelque chose se matérialisa sur la table.

Quelque chose qui brillait d'une lumière spectrale, quelque chose qui n'avait pas été contemplé par des yeux humains depuis presque trois siècles.

« L'horloge Deveraux », murmura Jonathan, subjugué.

Le Compteur d'Étoiles le retint par le bras quand il tenta de la toucher.

« Attends. Tu ne sais encore rien. »

Il allongea alors le bras jusqu'à l'horloge, mais ses doigts traversèrent l'objet, comme si celui-ci n'avait pas été là.

« Tu vois ? dit-il à Jonathan. L'horloge Deveraux est beaucoup trop précieuse pour qu'on la fasse apparaître ici. Ceci n'est qu'une illusion. »

Jonathan garda le silence, mais il se sentit légèrement agacé.

« Jonathan s'est mis à la recherche de cette horloge, expliqua le Compteur d'Étoiles, le marquis lui ayant affirmé qu'elle était la seule chose qui pouvait sauver l'âme de sa belle-mère, prisonnière de la tristement célèbre horloge de Qu Sui. »

Jonathan leva la tête.

« Et ce n'est pas vrai ?

— Si, d'une certaine manière. Sache, Jonathan, que ce que contient l'horloge Deveraux est capable de détruire le mécanisme de l'horloge de Qu Sui... en même temps que toutes les horloges du monde. Ta belle-mère récupérerait son âme. Mais cela provoquerait la destruction de l'Univers tout entier. »

Jonathan resta un instant bouche bée.

« Vous plaisantez ?

— Bien sûr que non. »

L'expression du Compteur d'Étoiles était terriblement grave, et Jonathan n'eut pas le moindre doute quant à la véracité de ses paroles. Un torrent de pensées confuses s'était emparé de son esprit. La destruction de l'Univers tout entier ? Cela n'avait aucun sens. C'était tout simplement inimaginable.

« Le marquis ne le sait pas, je suppose..., parvint-il à balbutier.

— Bien sûr que si, répondit froidement Zaltana. Voilà pourquoi il veut l'horloge.

— Pour... détruire l'Univers ? Je ne comprends pas. »

Zaltana soupira et adressa au Compteur d'Étoiles un regard qui signifiait clairement « Je te l'avais bien dit ». Mais celui-ci l'ignora et se tourna vers Jonathan.

« Jonathan, je t'ai dit que le marquis méprisait les humains. Mais ce n'est pas complètement vrai. En réalité, il vous envie également, de toute la force de son âme.

— Il... Il nous envie ? »

Le Compteur d'Étoiles hocha la tête.

« Je t'ai déjà raconté mon histoire. Au cours de ma vie, j'ai eu le temps de parcourir le monde dans tous les sens, et de rencontrer toutes les créatures qui l'habitent. J'ai observé l'évolution des humains, et j'ai suivi avec intérêt tous leurs progrès. Je parle toutes les langues connues, j'ai lu tous les livres qui existent. J'ai des connaissances qui dépassent tellement la science humaine qu'il vous faudra plusieurs siècles pour comprendre certaines de mes inventions. Et maintenant, je consacre mon temps à compter des étoiles. Est-ce que tu comprends ? »

Jonathan jeta un coup d'œil perplexe à Emma, qui lui

rendit son regard. Et il put y lire qu'Emma était vieille, très vieille, bien plus vieille que Jonathan ne pourrait jamais l'imaginer, plus vieille que les humains, plus vieille que la Terre. Il essaya de se représenter ce que signifiait vivre pendant plusieurs millions d'années.

Il n'y parvint pas.

Il se tourna alors de nouveau vers le Compteur d'Étoiles, une lueur de compréhension dans les yeux.

«Je vois que tu as saisi, commenta ce dernier. Le marquis est fatigué de vivre.

– Mais... qui est-ce, exactement, le marquis?» demanda Jonathan. Il fut surpris de voir que les immortels ébauchaient un sourire.

«Nous avons passé tellement de temps sur Terre, répondit Ming Yue, que nous avons oublié nos noms – ces noms que nous nous sommes donnés nous-mêmes quand nous prîmes conscience de notre propre existence. Au cours de notre vie, nous avons tous changé plusieurs fois de nom. D'ailleurs, un immortel ne dira jamais "Mon nom est ceci", mais "On m'appelle comme ceci". Le marquis a eu d'autres noms dans le passé, mais aujourd'hui il se fait appeler le "marquis", et nous le nommons ainsi.

– C'est l'un des vôtres, murmura Jonathan. Le lutin m'avait bien dit que c'était un proscrit.»

Zaltana acquiesça, mais elle n'ajouta rien. Le Compteur d'Étoiles reprit la parole :

«Sais-tu quelle est la seule chose que les humains finissent tous par découvrir et que nous ne pourrons jamais imaginer, même dans nos rêves les plus fous?

– Le lieu où la Mort emmène les âmes, répondit Jonathan après un moment de réflexion.

– Exactement. Après avoir exploré le monde dans ses moindres recoins, le marquis se sentit prisonnier, et il chercha désespérément d'autres horizons. Quand il comprit qu'il connaissait tout ce qu'il y avait à connaître, il devint peu à peu obsédé par l'idée que l'Univers se poursuivait, ailleurs, au-delà de la vie. Il se mit en quête de la Mort, inlassablement, pendant plusieurs millénaires. Mais celle-ci ne pouvait pas l'emmener avec elle. Il découvrit alors que ce n'était pas la Mort qui arrachait la vie aux mortels, mais le Temps.

– Le Temps?

– Oui, le Temps. C'est le Temps qui fait s'écouler ta vie, goutte à goutte. Quand ton heure arrive, la Mort vient te chercher. Pas avant.

– Pourtant, elle est armée d'une épée...

– ... avec laquelle elle sépare l'âme du corps. Mais quand l'épée de la Mort s'abat sur un être, c'est que ce dernier n'est déjà plus en vie. C'est paradoxal, je sais.

«Après cette découverte, le marquis fit tout ce qui était en son pouvoir pour s'inscrire dans le Temps. Il aurait donné n'importe quoi pour vieillir comme tous les mortels. Il se passionna pour les horloges, et au fil des siècles, parvint à réunir toutes sortes de pièces d'horlogerie. Il réussit même à s'emparer de certaines horloges extraordinaires, maléfiques ou destructrices. Mais aucune d'entre elles ne put le débarrasser de l'immortalité. Ce n'était pas dans sa nature – comme l'immortalité n'est pas dans celle des humains. Essayer de changer quelque chose de ce genre supposerait changer l'ordre du cosmos – avec des conséquences inimaginables.

– Pourtant certains obtiennent l'immortalité, objecta Jonathan. Le Diable...

– Non, l'interrompit Emma. Le Diable leur concède un délai, rien de plus. Aucun être humain n'a supporté de vivre plus de quelques millénaires. Ils finissent tous par vouloir mourir. Tôt ou tard, ils laissent toujours le dernier grain de sable s'écouler dans le sablier.

– Et les anges, et les démons, et les fées ? Ne sont-ils pas immortels ?

– Ils sont nés avec la Terre, et ils ne sont pas encore morts. Mais quand ce monde mourra, ils mourront avec lui, alors que l'Univers continuera d'exister, et nous aussi. »

Jonathan avait du mal à imaginer un avenir aussi lointain.

« Mais revenons au marquis, intervint le Compteur d'Étoiles. Alors qu'il cherchait désespérément une façon de mourir, l'un d'entre nous trouva, par pur hasard, quelque chose d'extraordinaire. C'était un morceau de temps.

– Un morceau de temps ? » répéta Jonathan, ahuri.

Le Compteur d'Étoiles approuva de la tête.

« Nous l'appelons le Vortex. C'est une sorte de passage à l'intérieur du temps, une ouverture. Et sais-tu où se trouve ce Vortex ? »

Jonathan considéra avec respect l'image de l'horloge Deveraux qui resplendissait sur la table.

« Exactement, reprit le Compteur d'Étoiles. Le marquis sait qu'à travers le Vortex il peut atteindre le cœur du Temps. Et si cela arrive, l'Univers éclatera en mille morceaux.

– Mais pourquoi?

– Parce que le Temps ne peut pas contenir quelque chose qui n'a pas d'âge. Le choc entre les deux forces serait tellement brutal que le Temps lui-même serait détruit. Et cet Univers ne peut pas vivre hors du Temps. Tout mourrait, y compris les immortels. Et je ne suis pas en train de te parler juste de la planète Terre. Il y a d'autres mondes dans l'Univers, des mondes qui n'imaginent même pas la menace qui pèse sur eux dans la tentative du marquis de devenir mortel. Mais pour lui, tout cela n'a aucune importance. Il veut mourir et fera n'importe quoi pour y parvenir.

– Donc il m'a menti, médita Jonathan à mi-voix. Il m'avait dit que Marjorie récupérerait son âme...

– Non, là-dessus il ne t'a pas menti. Marjorie retrouverait son âme, mais elle perdrait la vie... tout comme chaque être vivant du cosmos.»

Jonathan s'affaissa sur son siège.

«Alors il n'y a aucun espoir, constata-t-il platement. Je ne peux pas donner cette horloge au marquis. Marjorie est perdue.»

Emma le regardait, émue.

«Je suis désolée, chuchota-t-elle.

– Non, répondit Jonathan. C'est moi qui suis désolé. Je voulais sauver une vie, mais je comprends maintenant que tu étais en train de protéger des milliards de vies toi-même.»

La jeune fille secoua la tête.

«Chaque vie a son importance. Nous avons vu naître et mourir tant de créatures qu'une vie humaine nous semble aussi brève qu'un soupir. Malgré tout, j'ai essayé de préserver la vie de chaque personne qui a pénétré dans la Cité Occulte, depuis le début.»

Jonathan prit alors Zaltana à partie.

«Il ne vous aurait fallu qu'une demi-heure, tout au plus, pour me faire renoncer à mon projet, en m'expliquant de quoi il s'agissait! Mais non, vous avez choisi de m'envoyer des démons, des chiens, de me mentir, de me tromper. Est-ce donc tout ce que vous avez appris au cours de vos milliards d'années d'existence?»

S'attendant à ce qu'elle se fâche, il fut surpris de la voir esquisser un sourire. Cela lui donna un air étrange, comme si cette expression lui était très inhabituelle.

«Tous les humains ne réagissent pas comme toi, Jonathan Hadley. La plupart d'entre eux sont même remarquablement incrédules.

– Jonathan a de l'imagination, répliqua le Compteur d'Étoiles. Peu d'humains réussissent à comprendre ce que signifierait la fin de l'Univers. C'est pour cela qu'ils ne nous croient pas.»

Jonathan regarda autour de lui. Il perçut la grandeur du cosmos dans les yeux des êtres qui l'entouraient et se sentit soudain petit, seul, et terriblement fatigué, comme s'il avait vieilli de plusieurs années en un instant. Il se cacha la tête entre les mains.

«Que dois-je faire maintenant concernant Marjorie? se lamenta-t-il, accablé.

– Le mieux que tu puisses faire pour elle est de sacrifier son corps, répondit Arnav. Un corps sans âme est une tragédie.

– Je ne pourrai pas, chuchota Jonathan. Je n'en aurai

pas le courage. Non, continua-t-il en levant la tête. Je me battrai jusqu'au bout. J'affronterai le marquis, j'entrerai moi-même dans le globe s'il le faut, mais je n'abandonnerai pas Marjorie!»

Il constata alors que les immortels l'observaient, impassibles, indifférents. Seule Emma semblait montrer de l'émotion. Quant au Compteur d'Étoiles... Jonathan découvrit avec surprise et colère qu'il souriait.

«Qu'est-ce que ç'a...», commença-t-il, mais il se tut en voyant que l'homme ne cessait de fixer la porte.

Un jeune homme aux cheveux clairs venait de faire son apparition. Il portait un fardeau enveloppé dans un linge, et son regard, malgré la préoccupation et la tristesse qu'on pouvait y lire, exprimait également la profondeur du cœur de l'Univers. Jonathan eut l'impression fugace de l'avoir déjà rencontré.

Emma se leva d'un bond.

«Jeremiah! s'exclama-t-elle. Tu es revenu!»

CHAPITRE 14

Le marquis leva la tête pour écouter le chœur des horloges annoncer qu'il était déjà cinq heures du matin.

Il se tourna vers Bill Hadley qui lui rendit son regard d'un air de défi.

«Mon fils reviendra», assura-t-il.

Le marquis haussa les épaules. Revenu quelque temps plus tôt, Hadley avait exigé de rester auprès de sa femme. Il était à présent assis près d'elle, soutenant son corps dans ses bras.

«Vous ne me croyez pas? insista Bill.

— Monsieur Hadley, rien ne me satisferait davantage que de voir Jonathan revenir avec l'horloge Deveraux. Toutefois...

— Monsieur le marquis!» l'interrompit la voix de Basilio.

Le majordome venait de faire son entrée, manifestement très agité. Il essaya de parler, mais sa suffocation était telle qu'il ne trouva pas ses mots. Le marquis fronça les sourcils et sortit précipitamment de la salle.

«Je n'ai pas confiance en lui», déclara Bill Hadley à sa

femme, sans bien savoir s'il s'adressait au corps inerte ou à l'esprit intangible qui l'observait, angoissé, depuis l'intérieur du globe. «Je vais voir ce qu'il fabrique.»

Il se leva rapidement et se mit à courir sur les traces du marquis.

Basilio, lui, resta un moment sans faire un geste, indécis. Ses yeux étaient fixés sur le sablier.

Bill atteignit la porte d'entrée.

Le marquis se tenait debout sur le pas de la porte, immobile comme une statue. Il ne lâchait pas des yeux une silhouette qui avançait lentement vers lui dans l'obscurité, portant dans ses bras un objet enveloppé dans du tissu.

«L'horloge Deveraux, murmura le marquis. Je n'ose y croire. Cela fait si longtemps...»

Bill Hadley scruta avec incrédulité la personne qui s'approchait.

«Jonathan?» demanda-t-il, hésitant.

La silhouette avança encore un peu, et un rayon de lune éclaira son visage.

C'était un jeune homme grand, aux cheveux clairs, au regard insondable. Son expression était sereine et décidée autant qu'énigmatique et d'indéchiffrable, rappelant celle d'un sphinx.

«Toi!» s'exclama le marquis, le visage contracté.

Derrière l'inconnu apparurent cinq silhouettes qui se placèrent autour de lui. Parmi elles, Bill reconnut Emma, mais la jeune fille n'était plus telle qu'il s'en souvenait. Il y avait désormais en elle quelque chose de terrible et de surhumain qui lui donna la chair de poule.

«Vous tous! s'écria le marquis. Que faites-vous ici? J'ai respecté vos conditions, je n'ai jamais cherché à passer outre votre Interdiction!»

L'un des cinq individus s'approcha. C'était une femme aux cheveux blancs et au visage pur et froid comme le marbre. Plongeant son regard dans celui du marquis, elle commença à parler dans une langue inconnue de Bill Hadley, mais qui devait avoir un sens pour le collectionneur d'horloges, car ce dernier pâlit et recula de quelques pas.

«Papa, chuchota soudain une voix. Tout va bien?»

Bill découvrit alors Jonathan tout près de lui, le dévisagea, puis le serra contre lui de toutes ses forces. Quand il le lâcha, son fils pointa du doigt le groupe de personnages récemment arrivés.

«Il se passe quelque chose d'important.»

Hadley sembla revenir à la réalité.

«Qui sont ces gens? Et pourquoi portent-ils un tel accoutrement?»

Zaltana avait cessé de parler, mais Arnav l'avait remplacée, et il répétait les mêmes termes, dans la même langue inconnue, comme récitant les paroles d'un rituel.

«Tu ne vas pas me croire, mais ce sont... des gens comme le marquis. Ils ne sont pas... ils ne sont pas humains, tu comprends.» Son père fronça les sourcils. «Tu vois celui qui porte l'horloge? Il s'appelle... Enfin, on l'appelle Jeremiah. Il y a plusieurs siècles, il a affronté le marquis, il a gagné, et il a emporté l'horloge.»

Hadley fit un signe d'assentiment.

«D'accord, ça je comprends. Et alors?»

Jonathan respira profondément. En cheminant vers la demeure du marquis, Emma lui avait raconté beaucoup de choses, mais il n'était pas certain que son père les avale très facilement.

« Les amis de Jeremiah ont caché l'horloge dans la Cité Occulte et ont interdit au marquis d'y pénétrer. Cette Interdiction était trop forte pour être brisée, surtout combinée au fait que le marquis, vaincu, était obligé de se soumettre à la volonté de Jeremiah. Voilà pourquoi, pendant des siècles, le marquis a envoyé d'autres personnes à sa place pour tâcher de récupérer l'horloge. Ce qui n'était en réalité qu'un jeu cruel. Il sait parfaitement que les humains ne sont pas de taille à lutter contre les immortels.

« Le temps passant, cependant, des divergences d'opinion ont vu le jour parmi les immortels. Pour que l'Interdiction demeure tout aussi efficace, ils étaient en effet contraints de rester dans la Cité Occulte, et...

— Pour qu'elle demeure efficace ? Qu'est-ce que tu veux dire ?

— C'est... c'est comme une bataille de volontés. Le marquis désire de toute son âme mettre la main sur l'horloge ; les six autres désirent qu'il n'y parvienne pas. Leurs six volontés créent une barrière que la volonté du marquis ne peut pas franchir, surtout après avoir été vaincu lors d'un défi. Mais si l'un des six immortels abandonnait la Cité Occulte, la barrière s'affaiblirait, et le marquis pourrait passer.

— Qu'est-ce que c'est que cette histoire ? Ils seraient quand même cinq contre un ! » s'exclama Bill, dédaigneux.

Jonathan garda le silence. Il ne savait pas comment lui

expliquer qu'au fond tous les immortels désiraient mourir, et que leur volonté de protéger le Vortex était beaucoup moins forte que le désir du marquis de l'atteindre, l'Interdiction n'ayant été ainsi maintenue tout ce temps que par la vertu d'un équilibre fragile...

« Ce sont les Seigneurs de la Cité, dit-il à voix basse, mais aussi ses prisonniers. » Et ils ont accepté de se sacrifier pour protéger notre Univers, pensa-t-il.

Il reporta alors son attention sur Emma, qui venait de prendre la parole pour répéter les phrases rituelles, et il se demanda comment il avait pu croire, même un court instant, qu'il s'agissait d'une adolescente quelconque. La lumière de la lune illuminait son visage, un visage aux traits humains, mais à l'expression de déesse. Et ses yeux...

La tête lui tourna.

« Cela fait environ trois cents ans qu'ils ne sortent pas de la Cité Occulte, déclara-t-il. Pour eux, ce n'est qu'un soupir, mais ils savent que s'ils ne font rien, cette situation peut se prolonger indéfiniment. »

« Nous savons tous qu'avoir une éternité devant soi, c'est très, très long... », avait dit le Compteur d'Étoiles.

« Certains d'entre eux, continua Jonathan en regardant Zaltana, considèrent que leur mission est plus importante que quoi que ce soit d'autre, et protègent la Cité Occulte avec tous les moyens à leur disposition. D'autres estiment que les humains sont les victimes innocentes d'une guerre entre les immortels, et sont partisans de ne pas faire de mal à ceux qui pénètrent dans la Cité sans savoir quel secret y est gardé. Enfin, l'un d'entre eux, celui que l'on nomme le

Compteur d'Étoiles, croit qu'il y a une autre voie. Mais c'est très risqué... Tout ou rien.

– Qu'est-ce que tu es en train d'essayer de me dire, exactement? Sois clair! Cette horloge peut-elle sauver Marjorie, oui ou non?»

Jonathan soupira. C'était encore plus difficile qu'il ne l'avait imaginé.

«Elle peut sauver son âme, mais pas sa vie. Tout le monde mourrait. Les gens, le monde entier, l'Univers.»

Bill le dévisagea, une profonde expression d'incrédulité dépeinte sur son visage.

«C'est ça que veut le marquis, expliqua Jonathan. Il est immortel, mais il veut mourir à tout prix, même s'il doit entraîner pour cela tout le cosmos avec lui...

– Il est immortel et il veut mourir? répéta Hadley, ébahi. Mais il est fou, ou quoi?

– Imagine que tu sois en vie depuis le début de l'Univers, reprit patiemment Jonathan. Tu ne crois pas que tu finirais par te lasser de la vie?»

Son père fronça à nouveau les sourcils, et Jonathan comprit qu'il n'avait pas assez d'imagination pour saisir la gravité de la situation.

«Ça ne fait rien, enchaîna-t-il. Contente-toi d'observer.»

Jeremiah avait pris la parole à son tour, dernier des immortels.

«Qu'est-ce qu'il raconte? demanda Hadley.

– Il est en train d'affirmer sa volonté inébranlable de protéger l'horloge Deveraux, comme l'ont fait tous les autres, pour renforcer l'Interdiction... Ce qui ne laisse plus qu'une unique possibilité au marquis. »

Jeremiah cessa de parler et déposa l'horloge Deveraux à ses pieds. Le marquis la dévorait des yeux.

Pendant quelques instants, un silence glacial régna.

« Vous avez renouvelé l'Interdiction, dit enfin le marquis. Et toi, Jeremiah, tu es sorti de ta cachette. »

Jeremiah leva fièrement la tête. Dans ses yeux brillaient toutes les étoiles du cosmos, mais on pouvait également percevoir l'ombre d'une lassitude immense.

« Jeremiah fut le seul d'entre nous à avoir le courage d'affronter le marquis, avait expliqué Emma, et maintenant il porte la responsabilité d'avoir gagné un défi. »

Jonathan n'avait pas compris.

« Tu dis la vérité, Lord Clayton, aujourd'hui appelé "marquis", répondit doucement Jeremiah. Nous nous sommes vus pour la dernière fois il y a trois cents ans, lors de cette vente aux enchères. Je t'ai défié, et tu as choisi une manière rapide de mettre un terme à ce défi. Mais en gagnant, j'ai affaibli ta volonté.

– Après quoi tu t'es enfui, et tu t'es lâchement caché derrière tes compagnons et cette Interdiction absurde, alors même que tu savais pertinemment que j'avais droit à une seconde chance ! »

Jeremiah baissa la tête.

« Je sais. Mais je ne voulais pas courir de risque. Tu ne comprends donc pas ce qui est en jeu ?

– Non, c'est toi qui ne comprends pas ! Toi, alors que tu es le plus vieux d'entre nous ! Toi, qui as exploré d'autres dimensions où nous ne pouvons aller! Toi qui as découvert le Vortex, la seule chose qui peut nous libérer des chaînes de la vie! Jeremiah! tonna-t-il. Tous les autres sont avec moi! Tous, ils désirent mourir! Comment as-tu réussi à les convaincre que la destruction d'un Univers est un prix trop important à payer pour l'éternel repos? Toi qui sais qu'il existe d'autres Univers! Traître à ta propre race, tu prives les immortels de leur unique ambition... Pour protéger les mortels, des créatures qui vivent le temps d'un soupir, des créatures qui finiront de toute façon par mourir!»

La voix du marquis résonnait comme un coup de tonnerre. Jonathan examina avec crainte les visages des immortels, et il lui sembla que certains vacillaient. «Le Compteur d'Étoiles a raison, pensa-t-il. Ils désirent tous mourir – et ils ont entre les mains l'instrument de cette mort. Pourtant, malgré tout, ils continuent à protéger notre monde et les mortels. Heureusement qu'ils ont déjà renouvelé l'Interdiction...»

Il regarda Jeremiah. Le marquis venait de le désigner comme le plus vieux des immortels, mais Jonathan comprenait qu'il ne s'agissait pas là d'une question d'âge. Emma lui avait raconté que Jeremiah avait exploré les limites du monde et de l'espace-temps et qu'il avait visité d'autres Univers. Cette connaissance pesait sur lui, et avait fait naître en lui un énorme sentiment de responsabilité avec lequel il allait devoir vivre pendant toute l'éternité. De tous les immortels, c'était celui qui souhaitait le plus se reposer enfin, définitivement. Mais en trouvant le Vortex, il n'avait fait que devenir son éternel gardien. Il portait la responsabilité de savoir que l'existence de l'Univers était fragile... aussi fragile qu'une horloge antique.

«Je sais qu'il existe d'autres Univers, marquis, répondit-il, et chacun d'entre eux est précieux. Peut-être notre existence n'a-t-elle pour objet que de nous assurer qu'il en soit toujours ainsi. Je convoite la mort autant que toi, mais je ne permettrai jamais que l'Univers entier meure avec moi.»

Malgré la tristesse de son regard, il n'y avait aucune hésitation dans sa voix. Les autres immortels, enhardis par la force de ses paroles, levèrent la tête et toisèrent le marquis avec détermination.

«Très bien, dit ce dernier en plissant les yeux dans une expression de défi. C'est vous qui l'aurez voulu. Je sais pourquoi tu es venu, Jeremiah, et ce geste te fait honneur. Car j'imagine que tu n'as pas apporté l'horloge ici dans le seul but de me narguer, n'est-ce pas?

– Je ne pouvais pas passer toute l'éternité à t'éviter, reconnut Jeremiah. J'espérais gagner du temps et trouver la manière de détruire le Vortex, ou de le rendre inutilisable. Mais le Vortex est fait de temps, et le Temps ne peut pas être détruit. Pendant trois cents ans, je me suis réfugié avec l'horloge dans un endroit de la Cité Occulte accessible au seul Compteur d'Étoiles. Malgré cela, mes compagnons ont continué à me faire confiance.

– Pourquoi donc es-tu finalement sorti de ta cachette?

– Je ne répondrai pas à cette question.» Il marqua une pause. «Après tout, maintenant tu me tiens, et c'est tout ce qui t'intéresse, n'est-ce pas?»

Le marquis sourit.

«C'est vrai, Jeremiah. Tu es là. Je te défie.»

Jonathan eut l'impression qu'un souffle de vent glacial balayait la cour du vieux bâtiment. Il frissonna.

«Le vaincu a le droit d'affronter son vainqueur une seconde fois, lui avait dit Emma en expliquant les règles du défi. S'il perd à nouveau, sa volonté est annihilée. S'il gagne, leurs deux volontés se retrouvent à égalité.»

Auquel cas le marquis pourrait rompre l'Interdiction, simplement parce que les paroles prononcées à voix haute par les immortels ne correspondaient pas au désir qui se cachait au plus profond de leur cœur.

«J'accepte le défi, dit Jeremiah en rompant le silence, et je choisis les armes.»

Il fit une pause.

«Combat mental.»

Le marquis approuva de la tête et avança jusqu'à son adversaire. Il plaça ses mains sur les épaules de Jeremiah, qui fit de même.

Puis ils s'affrontèrent du regard.

«Mais qu'est-ce qu'ils fabriquent? grogna Bill.

– Ils viennent d'engager un combat mental», répondit une voix près d'eux.

Jonathan se retourna, et vit qu'Emma se trouvait à leurs côtés.

«Qu'est-ce que cela signifie?

– Qu'ils ne vont pas se quitter des yeux et lutter de toute la force de leur esprit. Quelque part dans une dimension mentale, leur volonté va prendre des formes différentes, jusqu'à ce que l'un d'entre eux écrase l'autre. Il y a de nombreuses manières de défier quelqu'un, mais celle-ci est la plus juste. C'est celui dont la volonté est la plus forte qui gagne.

– Mais... Jonathan hésita. Mais, Emma, c'est toi-même qui m'as dit que la volonté du marquis était extrêmement forte, alors que vous autres exprimez une volonté qui ne correspond pas à votre véritable désir!

– C'est vrai. Sur le visage enfantin d'Emma se dessina alors un petit sourire. Mais il y a un élément sur lequel le marquis ne compte pas.

– Quoi donc?» demanda Jonathan, intrigué.

Sa question demeura sans réponse.

Les deux combattants n'avaient pas cillé. Ils se regardaient fixement, sans cligner des yeux. Malgré tout, quelque chose d'invisible bouillonnait autour d'eux, comme un tourbillon impalpable. Jonathan le percevait, et son père lui-même recula de quelques pas. Retenant son souffle, le jeune homme ferma les paupières et sentit une force puissante qui émanait des deux immortels. Il distinguait presque deux courants qui s'affrontaient, deux volontés qui luttaient l'une contre l'autre.

Cette énergie s'étendait peu à peu, jusqu'à les empêcher de respirer.

«Qu'est-ce que c'est... que ça? balbutia son père.

– C'est de l'énergie à l'état pur, Papa.»

Le marquis leur tournait le dos. Jonathan fixa son attention sur Jeremiah, et en eut le souffle coupé.

Sous le masque humain transparaissait la véritable nature de l'immortel, une nature née du chaos primitif, une essence qui contenait les secrets de l'origine du cosmos. Son corps était entouré d'une sorte d'aura multicolore, et ses cheveux flottaient autour de sa tête, comme mus par une brise invisible. Ses yeux irradiaient tant de force que Jonathan sut que, si Jeremiah s'était tourné vers lui ou son père à ce moment précis, il les aurait réduits en cendres d'un seul regard. Le marquis ne bougeait pas un seul muscle, et Jonathan devina que son visage présentait sans nul doute le même aspect surnaturel que celui de Jeremiah.

Instinctivement, Jonathan s'écarta un peu d'Emma. Elle ne parut pas le remarquer.

Les corps de Jeremiah et du marquis se trouvaient devant le musée des Horloges, l'un en face de l'autre. Mais leurs esprits avaient créé leur propre champ de bataille, très loin de là.

La volonté du marquis avait pris la forme d'un énorme volcan qui crachait un feu infernal. Des rivières de lave incandescente coulaient du cratère, se brisant contre les rochers et lançant des gerbes d'étincelles incendiaires vers le ciel saturé de cendres grises.

Jeremiah se retrouva momentanément seul et désemparé face à cet immense volcan. Le sol se fendait sous ses pieds tandis que le marquis étendait des rivières de feu à travers tout l'espace de la dimension qu'ils avaient créée pour leur combat mental. Jeremiah ne s'attendait pas à ce que la volonté du marquis soit aussi grande et puissante. Néanmoins, gardant en mémoire l'enjeu du combat, il contre-attaqua.

Il se transforma en un océan furieux, dont les énormes vagues couronnées d'écume se mirent à battre les rochers avec force, s'élevant jusqu'à la cime du volcan. L'eau inonda les rivières de lave et s'infiltra peu à peu dans toutes les veines du volcan. Après une longue lutte, la marée montante recouvrit les roches les plus hautes du cratère.

Le marquis créa alors un immense soleil qu'il fit s'approcher de l'océan. Alimenté par de terribles explosions internes, enveloppé par une couronne de flammes, le soleil dévora l'atmosphère au-dessus des flots et entreprit de faire s'évaporer l'eau. Lorsque le soleil couvrit enfin tout le ciel, l'océan avait disparu.

Mais bientôt surgit un épais manteau de nuages noirs, chargés d'électricité, qui obscurcirent totalement le jour.

La volonté du marquis fit alors naître un ouragan hurlant et dévastateur qui persécuta les nuages jusqu'à ce que ceux-ci se dispersent. Son but accompli, la tourmente hurla, triomphante, tournant follement dans l'espace. Mais soudain, elle rencontra un obstacle inattendu.

La riposte de Jeremiah consistait en une chaîne de montagnes dont les pics les plus hauts semblaient atteindre les étoiles. Les efforts de l'ouragan pour la détruire furent vains : les racines de la cordillère étaient implantées dans le cœur de la Terre. Le marquis insista, comptant sur une lente érosion, mais son souffle se tarit peu à peu, jusqu'à ce qu'il se trouve réduit à une simple brise.

Il évoqua alors un violent tremblement de terre qui secoua les entrailles de la Terre. Sous le choc, la cordillère se fissura ; des brèches s'ouvrirent, à un rythme de plus en plus rapide. Jeremiah décida de procéder à une transformation avant que les montagnes ne soient réduites en poussière.

Un glacier recouvrit aussitôt toute la terre; même les immenses gouffres provoqués par le tremblement de terre se trouvèrent petit à petit emplis par les roches et par la neige.

La volonté du marquis reprit aussitôt la forme d'un soleil – déjà moins puissant que l'astre qui avait été créé précédemment, mais suffisamment ardent pour faire fondre neige et glace. À ce moment survint une lune, qui éclipsa le soleil...

Aucun des témoins ne pouvait voir ce qui se passait entre Jeremiah et le marquis; les immortels pouvaient tout juste en ressentir l'écho. Les yeux de Jonathan passaient nerveusement de l'un à l'autre. Les deux combattants demeuraient immobiles, exactement dans la même position qu'au tout début du combat, et seul leur regard et l'aura qui les protégeait laissaient deviner la lutte titanesque qui avait lieu entre eux.

Soudain, Jonathan perçut un son lointain qui le fit revenir brutalement à la réalité. Il se tourna vers son père. L'expression qu'il lut sur le visage de ce dernier suffit à lui prouver qu'il n'était pas le seul à avoir entendu.

«La cloche du couvent, lança Bill, atterré. Il est six heures moins le quart. Il faut faire quelque chose pour Marjorie!»

Jonathan garda le silence, sans avoir le courage de dire à son père que les immortels lui avaient avoué que rien ne pourrait sauver Marjorie. Il interpella Emma.

«Emma, qu'arrivera-t-il au marquis si Jeremiah gagne?

– Sa volonté sera tellement affaiblie qu'il se passera plusieurs millénaires avant qu'il puisse à nouveau défier quelqu'un.»

Jonathan médita sur cette réponse.

«Mais son âme sera toujours aussi grande, non? Je veux dire, en essence il sera toujours aussi...» Il ne trouva pas le mot juste. Elle sourit tristement.

«Oui. Seul le Temps est suffisamment puissant pour détruire un immortel – en s'autodétruisant.

– J'ai une idée, s'exclama Jonathan, frappé d'inspiration. Papa, Emma, suivez-moi, j'ai besoin d'aide!»

Jonathan disparut en boitant à l'intérieur du bâtiment, et son père le suivit sans hésiter. Après un dernier coup d'œil à Jeremiah et au marquis, Emma entra également.

Ils étaient en train de traverser la salle du musée quand leur parvint un bruit de verre cassé, suivi d'un coup sourd comme celui provoqué par un corps tombant à terre. Jonathan, Bill et Emma se précipitèrent vers la pièce des horloges extraordinaires.

«Marjorie!» cria Bill.

Mais le corps de Marjorie était exactement dans la position où il l'avait laissé.

Derrière elle gisait Basilio, sur le ventre; autour de lui, les fragments d'un sablier cassé.

Jonathan s'accroupit à ses côtés et le retourna.

Il était mort.

«Qu'est-ce que... Qu'est-ce qui s'est passé?» balbutia Bill.

Jonathan examina les restes du sablier.

«Il s'agit du sablier qui faisait partie d'un pacte avec le démon. Tu te souviens de l'histoire du marquis? Tant que le sable coulerait, son propriétaire continuerait à vivre. Mais je ne comprends pas...

— C'est pourtant simple, dit à ses côtés la voix douce et triste d'Emma. C'était lui, le propriétaire de ce sablier.

— Basilio? Mais il travaillait pour le marquis!

— Justement. Emma secoua la tête d'un air navré. Ce n'est pas la première fois que le marquis agit de la sorte. Il s'approprie le sablier de la vie de quelqu'un, qui se trouve ainsi contraint de travailler pour lui sous peine de perdre la vie. Chaque fois que le sable est sur le point de cesser de couler, le marquis appelle son serviteur et lui demande s'il doit ou non le retourner. Cet homme a probablement passé un ou deux siècles aux côtés du marquis, sans jamais trouver le courage de répondre non à cette question. Mais cette nuit, il a profité du fait que la voie était libre, et il a décidé de mettre fin à des décennies de peur et de servitude.»

Jonathan frissonna et tourna la tête pour ne plus avoir à supporter la vue de Basilio. Ses yeux se posèrent sur l'horloge de Qu Sui. Le lièvre était à présent dangereusement proche de l'empereur.

«Aidez-moi! ordonna-t-il.

— À faire quoi? demanda Bill.

— À porter l'horloge dehors — et Marjorie aussi, puisqu'elle doit rester à côté.

— Mais pourquoi...?» commença son père. Il se tut en voyant le visage d'Emma s'illuminer.

Dehors, la bataille se poursuivait, et la volonté du marquis avait commencé à gagner peu à peu du terrain sur celle de Jeremiah. Les quatre autres immortels les observaient en retenant leur souffle.

Le Compteur d'Étoiles fut le seul à s'apercevoir de l'absence d'Emma et des deux mortels. Ceux-ci revinrent assez rapidement; Bill tenait dans ses bras le corps inconscient de Marjorie, et derrière lui, Jonathan et Emma apportaient l'horloge de Qu Sui. Afin de ne pas rentrer en contact avec la dangereuse sphère, ils avaient entouré l'horloge d'une corde et l'avaient ensuite tirée derrière eux avec mille précautions. Le Compteur d'Étoiles se mit à sourire, devinant leur intention.

«Si Jeremiah ne sort pas vainqueur de ce défi, mon plan tombe à l'eau, déclara Jonathan à Emma. Et j'ai comme l'impression que c'est le marquis qui est en train de prendre le dessus.»

En effet, l'aura qui entourait les combattants avait pris une teinte sinistre qui émanait sans doute possible du marquis.

Emma lui serra le bras pour le tranquilliser.

«Aie confiance», dit-elle simplement.

Mais Jonathan pouvait lire clairement sur le visage de Jeremiah que le pouvoir de ce dernier avait considérablement diminué.

«Emma!» chuchota-t-il, angoissé.

Il était six heures moins dix. Une faible lumière commençait à colorer l'horizon de rose.

La volonté du marquis s'était transformée en un vaste désert de sable ardent et d'air torride. Jeremiah n'avait déjà plus suffisamment de forces pour prendre la forme d'un océan, ou d'une pluie torrentielle, et c'était sa forme humaine qui se traînait dans ce désert brûlant. Il savait que, dès qu'il cesserait de marcher et s'effondrerait par terre, c'en serait fini de lui.

Il continua à avancer pas à pas. À ses oreilles parvint l'écho distordu du rire du marquis.

Jeremiah vacilla légèrement.

«Non! hurla Jonathan sans pouvoir se retenir. Jeremiah, bats-toi! Ta volonté est aussi forte que la sienne! Tu ne peux pas abandonner, Jeremiah! Bats-toi! Tu n'es pas seul!»

Dans le désert formé par la volonté du marquis, Jeremiah était tombé. Le sable le recouvrait progressivement.

Il comprit qu'il avait perdu. Il était épuisé, et n'avait plus assez de forces pour lutter. Cela signifiait que le marquis allait ouvrir le Vortex... et que bientôt la Mort viendrait les chercher. Il allait enfin pouvoir se reposer.

Jeremiah ferma les yeux et se laissa aller.

Soudain, il perçut une voix très lointaine, portée par le vent.

«Jeremiah...»

Rassemblant ses dernières forces, il s'efforça d'écouter.

«Bats-toi...»

Jeremiah sourit. C'était le jeune mortel. Il avait déçu ses attentes, il avait condamné tous les mortels. Mais en fin de compte, comme l'avait souligné le marquis, ces créatures étaient destinées à mourir tôt ou tard...

«Tu n'es pas seul...»

Jeremiah sentit alors que quelque chose lui chatouillait la main. Quelque chose de vivant.

Avec le peu de forces qu'il lui restait, il se redressa légèrement – autour de lui, le désert gronda, menaçant – et regarda de quoi il s'agissait.

Il aperçut quelque chose de petit, de tendre, de vert. Une pousse. Une plante était en train de naître au milieu du désert.

Jeremiah contempla le miracle. Il espéra passionnément que cette plante réussisse à grandir. Il la vit résister et se dresser vers le soleil, défiant la sécheresse.

Il comprit soudain ce qu'il devait faire. Il concentra son esprit sur le sol sous le sable, et le remplit de graines, d'embryons de vie qui désiraient sortir à l'air libre, et vivre, tout simplement.

Stimulées par sa volonté, de petites pousses se mirent à apparaître. Se frayant un chemin à travers le sable, les plantes commencèrent à couvrir le désert d'un manteau au vert tendre. Jeremiah fit venir la pluie et tout ce dont ces multiples végétaux avaient besoin pour continuer à exister. Le marquis hurlait, furieux, et fit naître successivement une tempête de sable, un incendie dévastateur, un blizzard glacé, mais ses manœuvres furent vaines : les plantes continuaient à pousser. Et bientôt, le désert fut remplacé par une gigantesque jungle qui étouffa la volonté destructrice du marquis.

Osant à peine y croire, Jonathan vit les yeux de Jeremiah briller, plus lumineux que jamais, comme rénovés par une force intérieure.

Tout fut très rapide. Il sembla grandir face au marquis,

et son pouvoir devint encore plus palpable. Soudain, il y eut un éclair aveuglant. Jonathan ferma les yeux.

Quand il les rouvrit, le marquis était agenouillé par terre, et Jeremiah, debout devant lui, le regardait sereinement.

« Il a gagné, s'enthousiasma Jonathan. Je n'arrive pas à y croire ! Il a réussi ! »

Il se sentit soudain aussi faible que le marquis. Son soulagement était si intense qu'il avait l'impression que toutes ses forces l'avaient abandonné d'un coup. Emma le fit revenir à la réalité.

« Jonathan, dépêche-toi ! »

Jonathan tira l'horloge de Qu Sui jusqu'au marquis. Emma avança à ses côtés et s'adressa à ce dernier :

« Marquis, dit-elle d'une voix claire, tu as connu une double défaite. Ta volonté ne peut résister à la mienne. Je désire que tu touches le globe de l'horloge de Qu Sui. »

Le marquis lui lança un regard plein d'incrédulité. Celui d'Emma était dur et rayonnait de puissance. Le marquis leva lentement la main vers le globe, mais interrompit son geste et se tourna vers Jeremiah.

« D'abord, chuchota-t-il, explique-moi comment tu as fait. Je désirais la mort de toutes mes forces, et je sais que toi aussi, au fond de toi ! »

Jeremiah sourit.

« Tu luttais seul, expliqua-t-il, alors que j'étais soutenu par la volonté de millions de milliards d'êtres vivants à travers tout l'Univers. C'est ce que m'a rappelé la voix du jeune Jonathan Hadley, et j'ai ouvert mon âme à toutes ces volontés qui, sans le savoir, luttaient à mes côtés. »

Le marquis détourna le regard, mais ses yeux rencontrèrent ceux d'Emma.

« Maintenant », ordonna-t-elle.

Jonathan fixait nerveusement le lièvre d'or qui avançait lentement jusqu'au centre de l'horloge.

« Je suis affaibli, déclara le marquis, mais ce n'est que temporaire, et vous le savez. Quand j'aurai récupéré mes forces, je sortirai de là, et je m'emparerai du Vortex. »

Jonathan ne pouvait quitter l'horloge des yeux.

Le lièvre s'arrêta devant l'empereur. Le marquis approcha ses doigts du globe.

« Que ton âme demeure prisonnière de cette sphère que tu as toi-même créée », scanda Emma.

Sa main effleura le cristal.

Les cloches du couvent sonnèrent six heures.

Le lièvre s'inclina devant l'empereur de l'horloge de Qu Sui.

ÉPILOGUE

Jonathan s'appuya contre le hublot de l'avion, déplaçant avec précaution sa jambe plâtrée. Par la vitre, il ne pouvait voir qu'un manteau de nuages, mais il savait que là-dessous, quelque part, dormait la Cité Antique.

Il soupira et tourna la tête pour regarder son père et Marjorie. Le premier ronflait bruyamment ; Marjorie, quant à elle, feuilletait une revue. Elle était encore assez pâle, mais en dehors de ce détail, elle s'était parfaitement remise de sa mésaventure, et par bonheur ne se souvenait de rien. Quant à Bill... Jonathan sourit. Son père se rappelait toute cette étrange histoire dans ses moindres détails, mais il s'efforçait de se comporter comme si rien ne s'était passé, comme si tout n'avait été que le produit de son imagination, ou d'un rêve étrange qu'il était inutile de ressasser.

Le garçon soupira. Il savait que tout avait été bien réel, même si la Rêveuse avait raison de penser qu'elle vivait au milieu d'un songe.

Avec un sourire mélancolique, il pensa à Emma.

« Comment as-tu deviné que l'horloge allait expulser

l'âme de Marjorie après avoir dévoré celle du marquis ? avait demandé cette dernière.

— J'ai vu toute l'énergie dont rayonnaient Jeremiah et le marquis, avait répondu Jonathan, et je me suis souvenu que pour l'horloge de Qu Sui, les âmes n'étaient rien d'autre qu'une source d'énergie. Je me suis alors dit que peut-être l'âme du marquis ne tiendrait-elle pas dans la sphère, qu'elle serait trop grande... Et à ce moment-là, j'ai espéré que l'horloge serait obligée d'expulser tout ce qu'elle contenait pour faire de la place à cette âme monumentale. »

Bien à l'abri dans l'avion, Jonathan ne put s'empêcher de frissonner. Rien ne garantissait que les choses se passeraient comme il l'avait prévu. La sphère aurait pu éclater en mille morceaux, ou rejeter l'âme du marquis, ou tout simplement digérer aussi celle de Marjorie. Mais Jonathan avait suivi son instinct, et celui-ci ne l'avait pas trahi. D'ailleurs, il n'avait alors rien à perdre.

Il ferma les yeux, épuisé. Il avait encore du mal à croire que tout était terminé.

« Il est vraiment hors d'état de nuire ? » avait-il demandé à Jeremiah, en fixant avec appréhension la sphère où l'on devinait les traits d'un visage spectral.

« Non, seulement trop faible pour s'échapper. Sa volonté aura besoin de plusieurs millénaires avant d'accumuler suffisamment d'énergie pour s'extraire du globe. Mais j'espère que d'ici là nous aurons trouvé une solution pour le Vortex. »

Le Vortex.

Jonathan n'avait pas trouvé les mots nécessaires pour

décrire ce qu'il avait découvert lorsque le Compteur d'Étoiles avait ouvert l'horloge Deveraux. Ce qui se cachait à l'intérieur était différent de tout ce que le garçon avait vu auparavant.

Cela ressemblait à une sphère brillante, aveuglante, tournant inlassablement sur elle-même. Le Vortex semblait concentrer la lumière de toutes les étoiles de l'Univers, et on y distinguait des formes et des couleurs fantastiques, impossibles, qui tournaient à une telle vitesse que...

« Recule, lui avait dit Emma en le tirant en arrière. Tu ne veux pas vieillir avant l'heure, n'est-ce pas ? »

Jonathan n'avait pu éviter de remarquer l'expression avide du visage des immortels devant le Vortex, mais il faisait confiance à Jeremiah, à Emma, au Compteur d'Étoiles, qui s'étaient engagés à ce que les immortels continuent à vivre pour que l'Univers continue à exister avec eux.

Il avait ensuite attiré Emma dans un coin isolé pour lui parler en tête à tête. Il voulait lui proposer de devenir lui-même immortel afin de pouvoir rester à ses côtés.

« Jonathan, dit Emma en secouant la tête, cette aventure ne t'a donc rien enseigné ? Les mortels ne peuvent pas obtenir l'immortalité. L'ordre cosmique...

— Je ne parle pas de la vraie immortalité, mais de celle qu'offrent les démons, la coupa Jonathan avec impatience. Je pourrais vivre plusieurs millénaires, et... »

Mais elle le fit taire en posant un doigt sur ses lèvres.

« Non, Jonathan. Tu ne sais pas de quoi tu parles. Malgré mon aspect, je ne suis pas un être humain. Tu dois vivre avec les tiens. Et tu verras...

— Je ne rencontrerai jamais quelqu'un comme toi,

l'interrompit Jonathan, malheureux, en devinant quelles allaient être ses paroles.

— Non, admit Emma en souriant. Mais tu aimeras quelqu'un comme toi.

— Comment le sais-tu? Peux-tu lire dans le futur? lui demanda l'adolescent, étonné.

— Non. Je ne suis pas la Tireuse de Cartes. Mais je sais que tu te marieras et que tu auras des enfants.

— Comment peux-tu en être si sûre?

— Parce que je te le demande, Jonathan. Tu auras des enfants, et au fil des ans je protégerai tes enfants, et les enfants de tes enfants, et les enfants des enfants de tes enfants... Et je saurai ainsi que tu n'es pas mort, que tu n'as pas disparu de la surface du monde, tandis que moi, je suis condamnée à vivre pendant toute l'éternité. »

Ces derniers mots frappèrent profondément Jonathan. Il sentit en elle un sentiment tellement intense, tellement profond, tellement pur, qu'il comprit que même en faisant un pacte avec le Diable il ne réussirait pas à l'atteindre, fût-ce en y passant des millénaires. Il avala sa salive et déclara :

« J'aurai des enfants. Et je planterai un arbre, et j'écrirai un livre. Plusieurs arbres, et plusieurs livres, renchérit-il. On dit que c'est la seule manière, pour un humain, d'atteindre l'immortalité. »

Emma sourit. Puis elle s'approcha et l'embrassa.

Jonathan sentit que le sol disparaissait sous ses pieds et qu'il était saisi par un tourbillon; autour de lui tournaient toutes les étoiles de l'Univers—et elles étaient bien plus de 87 432 004 556 342. Pendant un instant, les prodiges les plus merveilleux de la galaxie défilèrent devant ses yeux. Il comprit qu'il était en train de contempler la naissance de l'Univers à travers la mémoire d'Emma.

Quand il se sépara de la jeune fille, elle dut le soutenir pour ne pas qu'il tombe. Ils échangèrent un sourire.

Puis les immortels avaient quitté les lieux. Sans que Jonathan soit capable de saisir par quel moyen, ils avaient disparu l'un après l'autre dans la brume matinale, sans avoir besoin d'une horloge-porte pour franchir les frontières invisibles de la Cité Occulte.

Emma lui avait jeté un dernier regard avant de disparaître à son tour.

Jonathan avait senti l'air lui manquer. Il avait voulu courir pour la rattraper, mais le Compteur d'Étoiles l'en avait empêché.

«Non», avait-il simplement dit.

Il l'avait regardé affectueusement.

«Jonathan, tu as fait pour nous bien plus que tu ne peux imaginer. Les immortels ne t'oublieront jamais. Dans plusieurs millions, plusieurs milliards d'années, lorsque cette planète sera réduite en poussière, lorsque nous aurons contemplé l'évolution et la mort de centaines de mondes nouveaux, lorsque personne ne se souviendra plus des êtres humains... les immortels prononceront encore ton nom, Jonathan Hadley.»

Le Compteur d'Étoiles avait serré dans ses bras un jeune garçon ahuri.

«Mais... pourquoi? avait demandé ce dernier, perplexe.

– Tu n'as pas compris? avait repris Jeremiah tandis que

le Compteur d'Étoiles enveloppait l'horloge Deveraux dans un linge. Maintenant qu'il ne nous est plus indispensable de rester unis pour renforcer l'Interdiction, ceux des immortels qui le désirent pourront quitter la Cité Occulte – même si je doute qu'Emma ou le Compteur d'Étoiles s'y résignent. Et tout cela grâce à toi.

– Mais je n'ai rien fait!

– Crois-tu? Sais-tu ce qui m'a décidé à "sortir de ma cachette", comme le disait le marquis? J'ai reçu un message du Compteur d'Étoiles m'avertissant qu'Emma était tombée amoureuse d'un humain.»

Jonathan avait ouvert la bouche, stupéfait. Jeremiah avait continué.

«Je me suis dit que si un mortel possédait une force d'esprit suffisante pour captiver l'une d'entre nous, cela devait être un signal. Et quand je suis arrivé au Conseil, tu étais en train d'exprimer ta volonté de continuer à lutter, envers et malgré tout, alors que tout paraissait perdu. Tu peux te vanter de m'avoir donné une bonne leçon.

– Je... je ne saisis toujours pas.

– Nous avons toujours pensé que les mortels étaient inférieurs à nous. Vos vies nous semblent aussi brèves qu'un soupir, aussi courtes que vous semble, à vous, la vie d'un papillon. Mais un papillon peut être à lui seul l'expression de toute la beauté du monde. Au fond, les mortels savent mieux que nous ce que vaut la vie. Ils savent qu'ils mourront un jour ou l'autre, et la ressentent ainsi comme quelque chose d'unique. Emma est la seule qui soupçonnait que votre âme pouvait être aussi grande que la nôtre, et que votre force de

volonté pouvait même dépasser la nôtre. Ta volonté de poursuivre ton chemin était plus forte que le désir d'Emma de te
renvoyer dans la Cité Antique. Voilà pourquoi le Compteur
d'Étoiles a décidé de te rencontrer.

— Et de convoquer le Conseil..., avait complété Jonathan.
Il espérait que tu viendrais?»

Jeremiah avait acquiescé.

«C'était la première fois depuis trois cents ans. Mais je
tenais à faire ta connaissance. Et ta force d'esprit m'a impressionné, moi aussi. Tu comprends, maintenant?

— Il avait deviné ce qui se passerait..., avait réfléchi Jonathan. Le Compteur d'Étoiles est un homme très intelligent.

— Je ne dirais pas exactement que c'est un homme, avait
répondu Jeremiah en souriant, répétant ainsi les paroles du
lutin, mais il est certainement très intelligent.»

Il avait souri à nouveau, et Jonathan avait compris brusquement pourquoi il avait l'impression de l'avoir déjà vu.
Ce regard alourdi par le poids des responsabilités, cette
expression à la fois pleine de sagesse et de doutes... Jusqu'au
détail de la lanterne, représentée en l'occurrence par la
sphère de l'horloge de Qu Sui qui brillait dans les premières
lueurs de l'aurore.

Jeremiah... l'Ermite.

«Adieu, jeune Jonathan, l'avait salué l'immortel. Comme
te l'a dit le Compteur d'Étoiles, plusieurs millions de milliards d'années passeront avant que nous oubliions ton nom.»

Et Jeremiah, tirant derrière lui la corde qui entourait
l'horloge de Qu Sui, avait disparu à son tour dans la brume.

Jonathan s'était retrouvé seul, très seul. Pour pouvoir

quitter la Cité Occulte lorsque Jeremiah avait décidé d'affronter le marquis, il avait remis au Compteur d'Étoiles les deux horloges-portes qui étaient en sa possession.

Il ne reverrait jamais les immortels.

À présent, de retour dans son monde, il sentait un étrange nœud dans la gorge. Il pensa que dans cent ans il serait mort, alors que pour Emma un siècle durait à peine davantage qu'un battement de paupières.

Soudain, le père de Jonathan se réveilla avec un éternuement sonore.

«Zut! s'exclama-t-il. J'ai pris froid! Jonathan, tu n'aurais pas un mouchoir?»

Machinalement, Jonathan chercha dans ses poches. Il trouva un mouchoir dans sa poche droite, mais sa main gauche rencontra un objet inattendu. Il le sortit, étonné, et l'approcha du hublot pour voir ce dont il s'agissait.

Une petite roue dentée avait été démontée afin d'arrêter le mécanisme; il suffisait de la remettre en place pour que cela fonctionne à nouveau. Il cligna des yeux pour que ses larmes n'embuent pas ses lunettes, et se souvint de la dernière embrassade du Compteur d'Étoiles.

«Merci, mon vieil ami», pensa-t-il en serrant l'objet entre ses doigts.

C'était une horloge-porte.

DANS LA COLLECTION

Julia Alvarez
Tía Lola, 2004

Azouz Begag
Le Gone du Chaâba, 1986

Franny Billingsley
Le Gardien des créatures, 2004

Marie Brantôme
Avec tout ce qu'on a fait pour toi, 1995 (Prix Sorcières Roman, 1996)
L'Infante de Vélasquez, 2003
Sans honte et sans regret, 2005

Howard Buten
Quand j'avais cinq ans, je m'ai tué, 1981

Silvana Gandolfi
Aldabra, la tortue qui aimait Shakespeare, 2003
L'Île du temps perdu, 2004

David Grossman
Duel à Jérusalem, 2003

Hilde Hagerup
Quelque chose que je regrette, 2005

Klaus Hagerup
Les lapins chantent dans le noir, 2004

Katherine Hannigan
Ida B., 2005

Heidi Hassenmüller
Bonne nuit, sucre d'orge, 2003

Rachel Hausfater-Douïeb
Le Chemin de fumée, 1998

David Klass
Tu ne me connais pas, 2002

Elmore Leonard
Un coyote dans la maison, 2005

François Leterrier
Rue Charlot, 2003

Nicole Maymat
Entre eux la rivière, 2004

Pat O'Shea
Les Sorcières de la Morrigan, 2005

Nicole Parrot
Treize étranges histoires, 2005

Francine Prose
Après, 2004

Celia Rees
Journal d'une sorcière, 2002 (Prix Sorcières Roman, 2003)
Vies de sorcières, 2003
Mémoires d'une pirate, 2004

Marie-Claude Roulet
La Mère Satan et autres nouvelles du village, 2004

Lilli Thal
Mimus, 2005

Kazumi Yumoto
L'Automne de Chiaki, 2004

RÉALISATION : PAO ÉDITIONS DU SEUIL
IMPRESSION : NORMANDIE ROTO IMPRESSION S. A. S. À LONRAI
DÉPÔT LÉGAL : MAI 2005. N° 78820 (05-1204)
IMPRIMÉ EN FRANCE